METODOS DE CRITICA LITERARIA

CIMAS DE AMERICA

Colección dirigida por

EDUARDO CABALLERO CALDERON

ENRIQUE ANDERSON IMBERT

METODOS DE CRITICA LITERARIA

EDICIONES
DE LA
REVISTA
DE
OCCIDENTE

A Margot

ÍNDICE

Admitamos, ante todo, que el tema es ingrato. Se trata de hacer la crítica a la crítica. Es decir, que tenemos que alejarnos de la literatura, que es lo que de veras vale, y acomodar nuestro ojo a un nuevo objeto. Nuestro objeto no es ya la literatura: es la crítica. La diferencia está en que la literatura es la expresión de un modo de intuir las cosas; y la crítica, en cambio, es el examen intelectual precisamente de aquella expresión.

La literatura, expresión; la crítica, examen...

Sin duda estos dos movimientos del alma —expresar, examinar— se dan en una misma persona. En todo poeta hay un crítico agazapado, que le está ayudando a cuidar la estructura de su poema; y, a su vez, en todo crítico hay un poeta que, desde dentro, le está enseñando a simpatizar con lo que lee. Por eso, en la historia de la poesía, es frecuente el caso de poetas que nos han dejado lúcidas autocríticas; y, en la historia de la crítica, también es frecuente el caso de críticos que más que analizar objetivamente una obra ajena se ponen a revelar su propio lirismo. Pero, por supuesto, estas mezclas no dan por resultado la crítica literaria. Darán autocríticas, darán lirismos críticos, pero a eso, para ser crítica de veras, le falta objetividad. Hay otras veces en que las dos funciones, la creadora y la crítica, operan separadamente en la misma persona. Es el caso de ciertos escritores que cultivan con igual fortuna la expresión de su propia obra por un lado y el examen

13

de la obra ajena por otro. Quienes buscan «críticos puros», críticos que no sean más que críticos, suelen exasperarse ante esos bicéfalos poetas-críticos (o críticos-poetas). Hay, sin embargo, críticos de una sola cabeza. No son necesariamente mejores. La profesión de crítico no es garantía de agudeza. En la convocatoria a los críticos que aquí se haga no habrá prejuicios gremiales. Nadie saca patente de crítico. Que comparezca la crítica tal como se da y desde donde se de. No pediremos credenciales. Eso sí, dejaremos de lado la crítica farragosa, esa que, pensada por mentes desordenadas —sean profesionales o no— solo ofrecen observaciones superfluas y a medio hacer. Es la más copiosa, pero no vale la pena ocuparse de ella. Nos ocuparemos, pues, de la crítica sistemática.

¿Qué entendemos por crítica sistemática? No nos referimos, desde luego, a la forma externa de que se reviste esa crítica, sino al rigor intelectual con que está razonada. Un breve y ocasional comentario a un libro puede estar concebido sistemáticamente y, al revés, todo un tratado de apariencias académicas puede carecer de sistema. Llamamos crítica sistemática a la ejercida por críticos que se desvelan por comprender todo lo que entra en el proceso de la creación de una obra literaria.

Durante siglos la meditación sobre la literatura ha sido seria. No habían nacido las ciencias que hoy todo el mundo respeta, y ya la crítica se proponía ser científica. Es injusto, pues, que mucha gente crea que cualquier profano más o menos familiarizado con la literatura está en condiciones de hacer crítica. La crítica requiere iniciación. Ante una literatura que acentúa lo ideológico, el crítico puede discutir ideas generales; ante una literatura pura y hermética, el crítico se hace especialista del análisis; pero en todos los casos la crítica requiere un serio esfuerzo de amaestramiento.

Toda persona culta tiene una noción más o menos clara de qué es la crítica. Partiendo de esa idea general vamos a explorar el territorio de la crítica literaria contemporánea y a trazar su mapa. Como en toda cartografía, señalaremos con líneas gruesas las relaciones mayores, prescindiendo de los detalles. Por supuesto, nuestras clasificaciones serán meramente didácticas. Lo que importa, ya se sabe, es la unidad del espíritu. El marcar regiones es solo una ayuda para la ojeada total. Si nos atrevemos a recargar el reticulado de clases y subclases es, precisamente, porque no le concedemos ninguna rigidez. Ese reticulado está en nuestro modo de conocer, no en el modo de ser de la realidad. Podríamos deshacerlo y rehacerlo en otro sistema de clasificaciones igualmente coherente. Los conceptos que usemos matizarán, sin dividirlo, un fluido panorama. Solo daremos esquemas; y aun nuestro estilo será aquí esquemático. El apretar nuestros materiales en el breve espacio disponible ha obligado también a sacrificar datos, ejemplos y desarrollos de ideas. Damos dos clases de bibliografía: una, directamente referida a pasajes de nuestro opúsculo, va al pie de la página; la otra, más general, útil para quienes quieran profundizar en la materia, va al final; hemos elegido unos pocos títulos (eso sí: autorizados y accesibles) que, a su vez, traen una bibliografía más especializada. Quisiéramos ser útiles. Y como estas páginas fueron escritas especialmente para los estudiantes, en un curso universitario, ahora que se organizan en libro las dedicamos a los jóvenes que hincan el codo en la crítica literaria.

Hasta aquí, el prólogo a *La crítica literaria contemporánea*, Buenos Aires, Ediciones Gure, 1957. Fue un librito cuya edición, muy limitada, no salió de la ciudad y allí se agotó inmediatamente. Ahora lo hemos aumentado y, como ha resultado un libro nuevo, le damos un nuevo título: *Métodos de crítica literaria*.

El panorama no es hoy más claro que hace diez años. Al contrario. Crece la Torre de Babel y arrecia el estruendo de la babilónica confusión de lenguas. El diálogo es cada vez más difícil. Si hace diez años el enfoque sociológico se ponía a la defensiva ante el triunfante avance del formalismo, hoy es el formalismo el que tiene que defenderse. A la concepción dinámica del historicismo siguió la concepción estática del estructuralismo; pero he aquí que, de pronto, las sincronías se hacen diacronías y las redes estructurales vuelven a abrirse a la historia. El crítico de la crítica, trapecista de circo, suele marearse mientras el trapecio oscila de extremo a extremo, recorriendo todas las posiciones posibles. Lo que creyó ver bien ya no está a la vista; nada está donde estaba, y en cambio aparecen caras en espacios antes vacíos. Entonces el crítico se arrepiente de haber escrito un libro sobre los métodos de la crítica. ¿Para qué, si mañana no se ha de ver lo que se ve hoy? ¿No hubiera sido más inteligente lucirse en la hazaña de criticar la literatura, en lugar de criticar la crítica, riesgo inútil, con algo de lunático y de mono, en un trapecio de circo? Quizá. Pero el libro ya está escrito, y algo se ha ganado. Supongamos que en el futuro haya que cambiar todos los ejemplos que ilustran nuestra clasificación de métodos críticos; supongamos que aun hoy esos ejemplos estén mal elegidos y los críticos mencionados, uno por uno o todos juntos, protesten porque se los ha clasificado mal o porque, al clasificarlos, se les ha mutilado el cuerpo; supongamos...; bueno, supongamos lo que supongamos siempre quedará, como ejercicio teórico, la clasificación misma; clasificación basada en la realidad que se muestra en la conciencia del estudioso de literatura: esto es, el circuito de la actividad creadora del escritor, de la obra que ese escritor ha creado y de la re-creación de esa obra en el ánimo del lector. Los estudiantes —a quienes dedicamos nuestro libro— podrían aprovechar tal criterio para emprender, con mayor comprensión del oficio, investigaciones sobre cualquier aspecto de la literatura. Después de todo nuestro propósito es dar, no una historia de la crítica —aunque de paso la damos—, ni un panorama de los críticos de hoy —aunque también de paso lo damos—, sino las llaves para entrar, por tres puertas, en la literatura.

E. A. I.

Harvard University.
Cambridge, Massachusetts.
Marzo de 1968.

CAPÍTULO I

DISCIPLINAS QUE ESTUDIAN LA LITERATURA

Nos proponemos definir la crítica literaria. Para ello comenzaremos por deslindarla de otras disciplinas que también estudian la literatura. Pero antes de practicar esos deslindes hay que dejar bien establecido:

a)   que todas las disciplinas se hacen préstamos recíprocos y trajinan juntas;

b)   que entender los fenómenos literarios depende de las entendederas de cada estudioso y, por tanto, no hay una disciplina que en sí sea superior a otra; y

c)   que, al especificar las disciplinas, nuestro punto de vista es el de la crítica. Quiere decirse, que de todos los aspectos que ofrece el estudio de la literatura, elegimos uno —la crítica— y a él subordinamos los demás. Por especializarnos en la crítica, todas las otras disciplinas, por dignas que sean, pasan a ocupar una posición lateral. Si, en cambio, nuestra atención se concentrara en cualquier otra disciplina, la crítica sería la marginal. Aquí nos interesa, pues, no la exposición objetiva de cada una de las disciplinas, sino cómo la crítica las ve, al compararse con ellas.

Instalados dentro de la crítica vamos a clasificar las disciplinas según que consideren la literatura como instrumento (estudios utilitarios), como problema (estudios filosóficos), como parte de la vida social (estudios culturales) y como valor (estudio propiamente crítico).

A. EL ESTUDIO UTILITARIO

Hay ciencias, de la naturaleza o del espíritu, para las que la literatura queda relegada al modesto papel de proveer materiales. Tocan la literatura muy tangencialmente. Se sirven de ella como de un instrumento y la aprovechan para documentarse: en última instancia se proponen conocer algo que no es literatura. No les preocupa el valor de un escrito: operan como si una obra de arte, si no sirve para otra cosa, no existiera. Geólogos, botánicos, zoólogos, etnógrafos, economistas, historiadores de las ideas, predicadores de religión o de moral, lingüistas, psicólogos pueden arrojar sus redes en el mar de la literatura para pescar ejemplos, datos, ilustraciones y aun ornamentos. Pero, desde luego, no están estudiando literatura. Mucho menos valorándola. El musicólogo Adolfo Salazar ni estudia ni valora *Don Quijote* en su trabajo sobre «Música, instrumentos y danzas en las obras de Cervantes»[1]. El zoólogo Jorge W. Abalos, en «La fauna en *Don Segundo Sombra*», va a lo suyo, que es el reino animal, no la novela de Ricardo Güiraldes[2]. El filósofo Gustav E. Mueller selecciona obras, de Homero a Dostoievski, y las usa como documentos de las sucesivas concepciones del mundo[3]. El sociólogo Ernst Kohn-Bramstedt, usando como una de sus fuentes principales la novela ochocentista, compone el cuadro de la aristocracia y la clase media de Alemania[4]. ¿No se ha llegado a tomar lecciones en poesía con vistas a su aprovechamiento terapéutico?[5] Muestras como estas,

[1] *Nueva Revista de Filología Hispánica*, México, enero-marzo de 1948, año II, núm. 1 y octubre-diciembre de 1949, año IV, número 4.
[2] *La Nación*, Buenos Aires, 29 de junio de 1947.
[3] *Philosophy of Literature*, New York, 1948.
[4] *Aristocracy and the middle-classes in Germany. Social types in German Literature: 1830-1900*, London, 1937.
[5] Lucie Guillet, *La Poéticothérapie, Efficacités du fluide poétique*, Paris, 1946.

a miles. Prescindiríamos de semejantes lucubraciones, en verdad ajenas a la literatura, sino fuera que a veces sus métodos encuentran secuaces en el campo literario: y hay quienes creen mirar la literatura cuando están mirando solo los objetos descritos en la literatura. José Ortega y Gasset, hojeando *Troteras y danzaderas*, de Pérez de Ayala, topó de pronto con una escena que desenmascaró a quien le había sustraido del bolsillo unas pesetas. Nadie se atrevería a decir que coger en una novela realista a un ladrón con las manos en la masa es un conocimiento crítico; no obstante, sobran los convencidos de que es prerrogativa de la crítica fichar, uno por uno, los personajes reales de una novela clave. La dirección más extrema, en este sentido, es la de la crítica que se pone a comprobar si la realidad mencionada en la obra literaria es científicamente verdadera: el valor de verdad, pues, no el valor de belleza [6]. La ósmosis entre la literatura y lo que no es literatura es incesante. Nada más natural, en consecuencia, que se haga cada vez más caudalosa esta corriente de investigación. Se gradúa la interacción entre las novelas históricas de Walter Scott y la historia moderna de Thierry en adelante; entre las novelas psicológicas de Dostoievski y el psicoanálisis de Freud; entre las novelas de Jules Verne y la actividad de exploradores e inventores, etc. Pero una cosa es el estudio de la literatura y otra el estudio de lo que no es literatura, aunque este último se haga a base de lecturas literarias. Véase un caso interesante

[6] Scholom J. Kahn cree que hay que analizar, no solo las relaciones entre la obra y la experiencia del escritor (las fuentes de la Expresión) y, dentro de la obra, las relaciones con el contexto cultural que le dan sentido (la forma de la Comunicación) sino también las relaciones entre la obra y la realidad organizada en sistemas de conocimiento científico (el fin de la Imitación) para encontrar correspondencias verdaderas. Véase «What does a critic analyze? On a Phenomenological approach to Literature» (en *Philosophy and Phenomenological Research*, University of Buffalo, september 1952-june 1953, vol. VIII, pp. 237-245).

de cómo la curiosidad científica por la literatura puede despertar la curiosidad literaria por la ciencia. El matemático y filósofo Alfred North Whitehead, en *Science and the modern world* (1925), se lamentó de que a los críticos literarios les pasara inadvertida la mentalidad científica de algunos poetas: «de haber nacido Shelley cien años más tarde —dijo— el siglo xx hubiera visto un Newton entre los químicos». Marjorie Nicolson se sintió tan impresionada por esa idea que se dedicó por entero a medir las relaciones entre ciencia y literatura[7]. Pero ¿qué importan para la crítica los paseos de los sabios si no quieren detenerse ante cada obra e interrogarla hasta arrancarle su bello secreto? Tampoco bastaría detenerse, si es para dar a la literatura las espaldas. Una rápida ojeada a las bibliografías nos da centenares de títulos que prometen inquisiciones, no sobre la literatura, sino sobre materias científicas sacadas de la literatura: «El dinero, la moral y las costumbres en la literatura moderna», «Newton entre poetas», «Psicopatología de la lírica romántica», «Eidéticos entre poetas alemanes», etcétera. Todo sirve, pero no hay que usar la literatura como modo de disimular la incompetencia. Un economista, que sabe bien qué es el dinero, puede enfrascarse en «el dinero en las novelas de Balzac». Su lucubración es de historia de las ideas o de las prácticas. Pero un estudiante de literatura que no sepa qué es el dinero se quedará dando vueltas a ese tema, sin pisar ni en la economía ni en la literatura.

Como ahora vamos a pasar a las disciplinas que estudian la literatura conviene reparar en una diferencia decisiva. En lo que llamamos «estudio utilitario» la literatura es una sirvienta de las ciencias; en el estudio literario, esas mismas ciencias (historia, so-

---

[7] Véase su colección de estudios, *Science and Imagination* (Ithaca, New York, 1956), sobre el efecto del telescopio y del microscopio en Milton, Swift y otros.

ciología, lingüística, pedagogía) hacen el papel de sir-vientas y apenas se atreven a levantar los ojos y mirar la radiante cara estética de su señora, la literatura.

B. EL ESTUDIO FILOSÓFICO

Dentro de la filosofía, conjuntamente con la estéti-ca, especula la teoría de la literatura. No nos da un juicio sobre una obra particular, sino que, con pode-rosos reflectores, ilumina simultáneamente los proble-mas del habla artística, de la naturaleza de la literatu-ra, de los principios y los procedimientos, de los criterios y las categorías, de las formas y funciones de la expresión estética. A fuerza de teorizar ha inven-tado, no solo filosofías de la literatura, sino nada me-nos que ciencias de la literatura. A veces son filósofos que completan sus sistemas con meditaciones sobre la literatura, como Croce, Bergson, Maritain, Heidegger, Santayana, Ortega y Gasset. A veces son hombres de letras con vocación filosófica, como Sartre, Antonio Machado, Thibaudet. Como quiera que sea, hay innu-merables filosofías de la literatura; y algunas de ellas aparecen con el impropio nombre de Ciencias de la Literatura [8]. Impropio porque si bien los alemanes han podido pasar de 'Kritik' a 'Literaturwissenschaft' en español el término 'Ciencia de la Literatura' suena a metáfora; a lo más sugiere la voluntad de usar méto-dos parecidos a los de las ciencias físiconaturales. Jean Hytier da la bienvenida a todas las ciencias de la cul-tura y a todas las filosofías que quieran enaltecer el conocimiento de la literatura, pero reclama ante todo

[8] Michel Dragomirescou, *La Science de la littérature*, 4 vols., Pa-ris, 1928-29. Guy Michaud, *Introduction a la Science de la Littérature*, Instambul, 1950, ampliada en *L'Oeuvre et ses techniques*, Paris, 1957. Herbert Cysarz, *Literaturgeschichte als Geisteswissenschaft*, Halle, 1926.

la formación de una «estética literaria específica»[9]. También sería de desear la formación de una específica epistemología del conocimiento literario. No es raro que un estudio de la literatura emprendido filosóficamente acabe por modificar las prácticas de la crítica. Es el caso del polaco Roman Ingarden. Deseoso de ahondar en la fenomenología de Husserl, que muestra el mundo real de los objetos tal como se dan en la conciencia, esto es, como red de intenciones, eligió la obra literaria: objeto que, siendo real, en su íntima esencia es también intencional. Publicó *Das literarische Kunstwerk* en 1931, que ha tenido gran influencia en críticos formalistas, según se verá más adelante. Northrop Frye, en *Anatomy of Criticism*, afirma la autonomía de la teoría literaria como forma de conocimiento. Más: la pone por encima de todo otro modo de estudiar literatura. La crítica de obras concretas, para él, cae en mera «historia del gusto». Tal como Frye la entiende la teoría literaria se abstiene de la arbitraria e irracional valoración de las obras. Sin embargo, es evidente que solo se llega a una teoría literaria partiendo de una amistad muy efectiva con poemas, relatos y ensayos; y seleccionar estas obras implica el haber juzgado su valor. Al criticar las obras particulares, por otra parte, se aplican teorías pensadas previamente. «Es inútil que digáis que no usáis hipótesis —observaba Bernard Fay— porque no podríais emprender una investigación sin guiaros por cierto plan, por una posición tomada, por una expectativa, o emprenderla sin la decisión de confinaros en un periodo, todo lo cual implica un juicio y una hipótesis... Una de las debilidades de la historia literaria científica es la pretensión de prescindir de hipótesis»[10].

---

[9]   Jean Hytier, *Les arts de Littérature*, Paris, 1945.
[10]   Bernard Fay, «Doutes et réflexions sur l'etude de la littérature», *Romanic Review*, XIX, 2 (april-june 1928).

C.   EL ESTUDIO CULTURAL

La literatura, como parte de la vida cultural, es objeto de los enfoques de diversas especialidades. Todas ellas, opuestamente a la crítica propiamente dicha, tienen más apego por la materia literaria que por su valor estético.

1. *Historia*

La historia es la evocación del pasado humano. Cuando ese pasado está constituido por escritos que expresan experiencias personales, tenemos una historia de la literatura. Es la interpretación de los hechos que han sido efectivos en la formación, a lo largo de los siglos, de una literatura. La historia nos dice que Cervantes es anterior a Galdós. O nos dice que Galdós deriva de Cervantes. O nos dice quiénes son y dónde debemos situar a Cervantes y a Galdós. No nos dice, en cambio, cómo Cervantes y Galdós plasmaron valores estéticos en sus obras. Procede como si las obras literarias se engendraran una a otra, todas ligadas entre sí, en una sucesión continua: en este desfile único habría solo una materia, en constante elaboración. Y al enhebrar las obras entre sí el historiador, aunque nos de un collar, estima más el hilo que las perlas. Siente afición por conjuntos de fenómenos. Ve a la literatura moviéndose por géneros o por periodos o por escuelas o por naciones; es decir, que pierde de vista la singularidad de cada obra y pone de bulto meros esquemas pensados. Se desliza de la actividad del escritor a la actividad de una época y así infiere, no el progreso de una persona que ha vencido dentro de sí los obstáculos para lograr una feliz expresión, sino un abstracto progreso humano, visto como una línea tendida sobre el vacío de la historia. En el mejor de los casos, el historiador presenta el progreso en ciclos. Observa cómo varios escritores amasan la misma materia y le dan una forma satisfactoria. Si después los escritores no hacen más que repetirse, se da por cerrado un periodo. Al referirse a los ciclos progresivos el historiador suele usar metáforas: «decadencias y reacciones»; «primaveras e inviernos»; «años de juventud, madurez y vejez»; etc. A veces nos explica ese progreso con leyes inexistentes (v. gr.: la del péndulo «romanticismo-clasicismo») o con entes que por ser metafísicos son ajenos a la literatura (v. gr.: «la idea del Estado», «el espíritu del siglo», «la hispanidad», «lo telúrico», «la raza») o con categorías que no tienen relación directa con los modos operativos de la intimidad de un poeta (v. gr.: comparación de edades y pueblos que en realidad son incomparables). A despecho de tanta especulación, el historiador aspira a ser objetivo y se impersonaliza. Pugna por proscribir de su conocimiento toda adherencia no verificable: por ejemplo, las molestas adherencias del gusto personal. El escrúpulo de comprobarlo todo le obliga a ser sumiso ante los hechos: hechos separados de la íntima creación poética. Y estos hechos se almacenan hasta el punto de que resultan desproporcionados al valor de los resultados obtenidos. La historia de la literatura, en tanto historia de hechos, no puede captar lo poético. La literatura que le suministra documentos es, precisamente, la literatura no poética, la literatura que presenta ideas, creencias, motivos morales o patrióticos, acciones prácticas, parrafadas de elocuencia oratoria, sátiras reformadoras, etc. O, en todo caso, eso es lo que puede sacar de las obras poéticas para concatenar una serie histórica. El valor estético, desnudo, se le escapa. Le preocupan las coordenadas tempo-espaciales de un escritor y su libro; se despreocupa, en cambio, de sus méritos. Nos da las rutas de la historia, no los caminantes. Rutas abiertas tanto por genios como por mediocres. Claro que las vértebras de la historia literaria son las obras maestras. Pero repárese en que el historiador, en tanto historiador, no juzga en qué son maestras esas obras. Respeta, más bien, los juicios ya consagrados. Tales juicios, por venir del pasado, son también materia histórica. Es como si el historiador nos dijera: todo lo que ha sido aceptado por un suficiente número de lectores, durante un suficiente período de tiempo, es literatura. El criterio de selección se basa en el consenso de las gentes, en la memoria social, esto es, en la historia.

2. *Sociología*

La historia es, sin duda, historia de la sociedad. Pero los hechos sociales pueden doblegarse a un nuevo ordenamiento mental. Si en vez de modelar la materia de esos hechos —que es lo que hace la historia— abstraemos las formas de socialización que surgen cada vez que varios individuos entran en acción recíproca, tendremos el objeto de una nueva ciencia: la sociología. Sea que a esas puras formas de relación social las estudie en su coexistencia en el espacio o en su sucesión en el tiempo, la sociología se asoma al mismo predio de la historia pero con otra perspectiva. Busca las formas que se repiten. Así como dentro de la historia general hay una historia de la literatura, también dentro de la sociología general hay una sociología literaria. La sociología literaria difiere de la historia literaria, por más que se muevan en el mismo campo. Asunto de la sociología son los índices de interacción entre todos los individuos que intervienen, directa o indirectamente, en la vida literaria. La vida literaria, no la literatura, es, pues, su finalidad.

La sociología, en la noria, da vueltas alrededor de la literatura. Sus pasos son innumerables y se superponen:

a) *Lugar que ocupa la literatura en una sociedad determinada.*—El prestigio del escritor; su posición ante el público; el parentesco entre la literatura y las otras artes; el mecenazgo y las formas de protección al escritor; *modus vivendi* del escritor; etc.

b) *El consumo de la literatura.*—Los hábitos de lectura según las clases, las profesiones, los sexos, las edades; las minorías lectoras en sociedades de gran analfabetismo; el gusto y las modas; la competencia de diversiones populares —cine, televisión, radio, historietas gráficas, etc.— que saquean la literatura para sus propios fines; los teatros comerciales, experimentales, privados, con sus respectivos públicos; los libros que más influencia han ejercido sobre la evolución social; etc.

c) *Organización de la vida literaria.*—La conducta de los grupos literarios; los tratos del escritor con las editoriales, las bibliotecas, las librerías; la crítica y la propaganda periodística; instituciones que intervienen en las actividades literarias, como academias, concursos literarios, el periodismo, la Universidad.

d) *Las influencias sobre la vida literaria.*—Exigencias del Estado, la Iglesia, los partidos políticos, el régimen económico; las consecuencias que tienen sobre la literatura los cambios técnicos, económicos, políticos y religiosos; la censura; las técnicas literarias que se amoldan a los órganos públicos (como la marcha del relato en el folletín y la novela por entregas) y a la visión que los escritores tienen de su público lector.

e) *El funcionamiento social de la literatura.*—Participación del escritor en el poder político; los temas sociales —amor, crimen, conformismo— tal como los reflejan los escritores; efectos de la conversación, de la carta, de las costumbres, en la composición de la obra; el propósito de reforma.

En ciertos casos ni siquiera se estudia sociológicamente la literatura, sino que se llenan, con literatura, las cajas de una sociología preparada de antemano. Después de homologar la estructura del mercado económico de la burguesía con la estructura novelesca se dirá, por ejemplo, que a los tres periodos de la historia social de Occidente corresponden tres periodos novelescos: a una economía liberal apoyada en el individuo corresponde la novela tradicional con un héroe que debe tomar decisiones, pero los valores que busca están ausentes de la sociedad; a la crisis del capitalismo corresponde una novela de transición donde comienza la disolución del personaje, y el héroe es reemplazado por el grupo; y al capitalismo de organización corresponde la novela sin personajes... (Lucien Goldman, *Para una sociología de la novela,* Paris, 1964).

3. *Lingüística*

La condición primordial para la crítica de una obra literaria es el dominio de la lengua en que está escrita. Por tanto, todos los averiguamientos que haga la lingüística para precisar la naturaleza del lenguaje vienen a ayudar el examen de la literatura. Los lingüístas son, pues, unos buenos artesanos que, sin ser críticos propiamente dichos, auxilian las tareas de la crítica. Sobre todo los lingüístas que —de manera continua desde Vossler en adelante— consideran la lengua y el habla como historia de la cultura, como energía espiritual, como viva creación de símbolos.

Por ciertos pasadizos la lingüística contemporánea se aproxima hacia el lado donde, con otros instrumentos, están laborando los críticos literarios. Algunos ejemplos. El balance de las contribuciones de un escritor a la lengua social (con prescindencia del valor estético de sus creaciones individuales). La pesquisa, en el idioma comunal, de modalidades expresivas, imaginativas, afectivas y semánticas que, si bien son mucho menos fluidas que las de cualquier escuela literaria, obedecen a «genios nacionales» que pueden singularizarse estilísticamente; y aun el rastreo de la interdependencia entre los patrones verbales de una nación y las formas interiores de su literatura. El establecimiento, en la historia de una lengua, de periodos en los que los hablantes sienten el prestigio de ciertas formas, junto con el conflicto entre la innovación individual y el orden tradicional. La observación de los fenómenos solidarios, estructurales, de un sistema de signos. Las formas interiores donde se engranan en cada caso la lengua con el pensamiento. Y así.

Aunque la demarcación entre lo lingüístico y lo estético sea delgadísima, la lingüística es ciencia autónoma. Si penetra en la literatura es por el lado exterior. La lingüística, por especializarse en las formas de una actividad tradicional, no hace crítica literaria. Lo que le interesa es la descripción de un código; esto es, los rasgos comunes que pueden abstraerse de una serie de acontecimientos verbales. Describe signos y las reglas con que se combinan excluyendo el problema del valor estético y despreocupándose, por lo menos en algunas de sus direcciones, del problema semántico. Generalmente esta descripción se limita a las interrelaciones de elementos en una mínima unidad, la oración, evitando las relaciones entre oración y oración o entre varias oraciones y la totalidad de una obra.

4. *Pedagogía*

La pedagogía se preocupa de cómo enseñar la literatura (arte de leer, arte de escribir) o de cómo integrar la literatura en la educación humanística. No critica la literatura, sino que, definiéndolos o aplicándolos, propone métodos para conservar, transmitir y acrecentar el acervo literario. Siguiendo un plano preparado de antemano, descompone la literatura para que los estudiantes vean sus elementos. Tarea mecánica, no creadora. Nos da preceptivas, autoridades, modelos, listas de las grandes obras, resúmenes del contenido de cada libro, diccionarios y enciclopedias de la literatura. Aun su uso de la crítica afirmativa de bellezas —en las antologías, digamos— es normativa. Compara dos fenómenos, aunque sean incomparables, para que los estudiantes, por semejanza o por contraste, reparen mejor en los rasgos de una obra que deben estudiar. No tiene escrúpulos en destrozar una obra porque su intención es taxonómica. En la enseñanza aun las clasificaciones sin valor crítico cumplen una función práctica: clasificación de las «figuras de dicción», de los metros y estrofas, de los géneros, etc. El estudio pedagógico viene de la antigua Retórica, arte, técnica y gramática del lenguaje que al transmitirse de época en época modificó sus propósitos, ya rígidos, ya flexibles, pero aún en manos de los profesores más precavidos de nuestros días se resiente de sus orígenes: recetas prácticas para escribir y componer. La Retórica quiere ser útil, y lo consigue, sobre todo en las aulas. Los críticos pueden beneficiarse de ella si profundizan, por ejemplo, en su magistral enseñanza de las «figuras» o «tropos» de la dicción literaria y la aprovechar para describir las funciones de la imaginación.

5. *Erudición*

Todas las disciplinas que estudian la literatura se benefician de la faena fastidiosa de la erudición.

La erudición suple con datos sueltos. Es un saber pormenorizado. Su área es vastísima: nada menos que todo lo atañedero a las letras. Recoge y encasilla los hechos sin juzgarlos. Elucida una situación objetiva en la vida de un autor o en su época; verifica una fuente; discrimina las respectivas colaboraciones en una obra escrita por una pareja; coteja las variantes de un texto; establece una fecha; despeja el misterio de un anónimo; completa una bibliografía; desarma una pieza lingüística; traza el secreto itinerario desde el manuscrito hasta la imprenta; resuelve un problema de atribución; descubre documentos; denuncia un plagio; descifra una paleografía o un criptograma; confecciona estadísticas y gráficos; señala las interpolaciones ajenas al escritor; prepara la edición definitiva de un texto múltiple; confirma una enmienda; acarrea informaciones traídas de la ciencia y, ciertamente, su método tiene algo de científico.

Sin las pacientes exhumaciones del erudito nunca el crítico se sentiría seguro.

El mero apilamiento de datos carece de la dignidad interpretativa de la historia y de la crítica; pero tiene su propia dignidad de auxiliar. Respetamos la erudición cuando la vemos andar a la brega, desbrozando humildemente el camino para que luego corran por él los más ágiles. No la respetamos cuando, en vez de publicar con recato sus ficheros, sus bio-bibliografías, sus calendarios, sus mapas de variantes, los rellena y envuelve con presuntuosos discursos.

Gustave Lanson fundó una escuela que, a pesar de sus limitaciones, ha seguido influyendo sobre los universitarios: por el camino de la verificación documental y de la reconstrucción histórica su crítica aspiraba a ser ciencia.

D. EL ESTUDIO CRÍTICO

La palabra misma, «crítica», implica la voluntad de juzgar una realidad cualquiera [11]. El hombre percibe, examina, escoge, toma posición frente a las cosas y enuncia un juicio, en el que se afirma o se niega algo sobre un objeto. Pensar crítico es ese que, después de indagar reflexiva y metódicamente las razones de las propias aserciones, ordena los juicios amoldándolos a la peculiar índole de la realidad examinada. Todas las disciplinas mencionadas en los parágrafos anteriores son críticas en el sentido de que examinan objetivamente la literatura. Pero reservamos el nombre de «crítica literaria» a la comprensión sistemática de todo lo que entra en el proceso de la expresión escrita.

Insistimos: de *todo* lo que entra en el proceso de la creación de una obra literaria. Porque la teoría, la historia, la sociología, la lingüística, la pedagogía y la erudición, por críticas que sean, solo enfocan parcelas de la literatura, excluyendo el valor estético. Y la misión específica que debe cumplir la crítica es, precisamente, la de justipreciar el valor estético de una obra en todas las fases de su realización. Las demás disciplinas contestan, cada cual a su manera, a la pregunta: ¿qué es esta obra literaria? La crítica, además de contestar —a su modo— esa pregunta, contesta también a esta: ¿qué vale tal obra literaria?

Digámoslo de otra manera: la teoría, la historia, la sociología, la lingüística, la pedagogía, la erudición es-

---

[11] Del griego χρίνω 'juzgar', χρίσις 'juicio', χριτής 'juez', χριτικό, χριτική, χριτικόν 'relativo al juicio'. René Wellek, «The term and concept of Literary Criticism», en *Concepts of Criticism*, Yale University, 1963, dice que el término «criticós» como «juez de literatura» aparece a fines del siglo IV antes de Cristo, reaparece en latín, en la época de Cicerón, se usa en la Italia renacentista —esporádicamente en el siglo XV y algo más frecuentemente en el siglo XVI—, pero empieza a reemplazar en Europa otros términos —gramática, retórica, poética— sólo en el siglo XVII para imponerse (no totalmente) desde el siglo XVIII hasta hoy.

tán unidas por mil puentes, hasta el punto de que no se concibe que se pueda ir a una sin pasar por las otras. Hay, pues, conflictos de jurisdicciones, y cada estudioso debe pagar un derecho de portazgo al entrar en un cortijo vecino. El erudito contribuye a la historia; el sociólogo a la lingüística; el teórico a la pedagogía, y así. El crítico también debe dejar algunas monedas en la escarcela de cada una de esas disciplinas, cuando las atraviesa. Pero lo cierto es que no le devuelven la visita con la misma frecuencia. La crítica no se enfada ante la falta de cordialidad que puedan manifestarle sus hermanas. Al contrario: se siente orgullosa de ser diferente. Sabe que todas las disciplinas, aunque implican un conocimiento crítico de la literatura, no constituyen, en su contenido específico, la crítica literaria. Aun sumadas, no dan la crítica literaria. Jean Hankiss creía que la Ciencia de la Literatura es la alianza de todas las disciplinas atinentes [12]; pero la crítica, dentro de esa Ciencia general, es una función imprescindible, no el resultado de una suma. Todas aquellas disciplinas estudian la literatura como instrumento, como problema, como parte de la cultura general, pero dejan algo sin tocar: el juicio de valor. Nadie, si no la crítica, arremete por este lado. La crítica juzga si una obra es o no literatura; juzga la excelencia literaria de una obra; juzga la jerarquía de su valor. Lo que la crítica tiene que decirnos lo puede decir en muy pocas palabras: «esto vale, esto no vale». Si, para decirlo, escribe enormes volúmenes, es porque está explorando, exponiendo y explicando su método; y para ello se incorpora los frutos de todas las investigaciones posibles en todas las ramas de la literatura. Fijémonos, sin embargo, en que esas pocas palabras que el crítico tiene que decirnos, «esto vale, esto no vale», son irreemplazables.

[12] Jean Hankiss, *Défense et illustration de la Littérature*, Paris, 1936.

CAPÍTULO II

GENERALIDADES SOBRE LA CRÍTICA

Al lotear terrenos entre las disciplinas intelectuales consagradas a la literatura, acabamos de ver cuál es el lote que la crítica reivindica como propio: discernir si una obra es o no literatura. Nos esperan todavía muchas fajinas: cómo estudiar la crítica, cómo clasificar los métodos de la crítica, cómo hacer crítica... Pero, antes de seguir adelante, quisiéramos detenernos un poco para conversar, descansadamente y de un modo muy general, sobre las cuestiones más marginales de nuestro tema. Sea este capítulo, pues, un paréntesis en el estudio que hemos emprendido.

1. *Los enemigos de la crítica*

Por estar armada con un gran instrumental, y por ser combatiente, la crítica excita polémicas.

Suele desdeñársela como a una perturbadora del conocimiento objetivo, como a un árbitro capaz de caprichos, como a una disposición a dar meras opiniones, poco serias porque no se basan en hechos positivos. Y, para probarlo, se coleccionan los garrafales errores cometidos por la crítica. Pero gazapos como los de la crítica abundan en la historia de las Humanidades (y aun en la de las Ciencias).

Se niega la existencia de una crítica en sí: la crítica —se dice— es siempre una función mental, aplicada a una obra concreta; no hay, pues, una metodología

Enrique Anderson Imbert

abstracta. Cierto, pero así se niega también cualquier
otra actividad de la conciencia humana.

Se le reprocha que quiera ir más allá del puro disfrute de la lectura. «¿No basta leer y gustar una obra?
¿Para qué se necesita de zoilos y aristarcos?» Que es
como si dijéramos ¿para qué se necesita de la filosofía,
no basta con manejar prácticamente las cosas?

Se acusa al crítico de ser el aguafiestas del placer
de la lectura: pero ¿por qué no decir que la inteligencia, o sea, la facultad de criticar, es la aguafiestas del
placer animal de vivir?

Enemigos de la crítica hay que dicen amar tanto
la literatura que la quieren proteger contra el mano-
seo que mancilla su pureza. Pero el callarse ante una
obra no la protege. Por otro lado, la buena crítica defiende la obra contra la mala crítica, esa que se hace
sin saberlo, en la conversación. Sin contar que la crítica, al explorar la obra, saca a luz bellezas que pueden
estar ocultas a los ojos del lector común [1].

Perfilar, como se ha hecho, una psicología del cri-
ticastro —resentido, agrio, envidioso, antipático— es
suponer que estos rasgos no son humanos, sino profesionales. ¿Por qué, en la perfiladura del crítico, no
se toma en cuenta su modestia, su generosidad? Charles Du Bos, uno de los críticos que hacen figura en
nuestro tiempo, llamó humildemente *Approximations*
a sus siete volúmenes de críticas; críticas para las
que la literatura era «el lugar de encuentro de dos
almas», la del escritor y la del lector, a la luz del amor.

No falta la inculpación de que los críticos son pa-
rásitos en el festín del arte, de que la crítica es una
actividad de impotentes: «critica el que no puede
crear». Sin embargo, tacharla de estéril porque para-
frasea las frases del artista, se contradice con el cargo

[1] Este servicio público es patente en la crítica a textos herméticos,
como la de Théophil Spoerri a Mallarmé o la de Dámaso Alonso a
Góngora o la de Stuart Gilbert a James Joyce.

de que, al interpretar libremente una obra, la crítica
va más lejos que el mismo creador. Tan capitales suelen ser las contribuciones de la crítica que todo estudioso serio tiene que conocer lo que los críticos han
dicho antes sobre el asunto que se avoca [2]. Y aun los
escritores suelen reconocer la perfecta puntería con
que los críticos dan en el blanco[3]. Al someter «el estilo al microscopio» [4], los críticos dan sentido a detalles
que, en personas comunes, serían nada más que torpezas. Y aunque el crítico sea un impotente, lo que
importa es que no sea un ciego. Si no puede, pero sabe
¿no es suficiente?

Imaginemos que desaparecieran los creadores: el
crítico no tendría nada que decir. Bueno, si desaparecieran sería porque tampoco los creadores tienen nada
que decir. Para existir, la obra necesita de un creador
y de un crítico. Después de todo el crítico es quien oye
todo lo que la obra tiene que decir y se encarga de que
lo diga a un gran auditorio.

Que la crítica se retarda siempre en el reconocimiento de un gran escritor, como en el caso de Stendhal. Pero sin esta crítica, por retardada que sea, el
público común, que es aún más retardado, hubiera
seguido con sus gustos espontáneos y Stendhal nunca
habría sido descubierto.

Suponer que la única relación indispensable en
literatura es entre el escritor y el lector —digamos:
entre el productor y el consumidor— es ignorar el hecho humano de la conversación. Siempre habrá lecto-

---

[2] Mario Fubini, «Crítica e poesia» (en *Belfagor*, 1950, V).
[3] Por ejemplo, Carlo Emilio Gadda declaró que el análisis de Giacomo Devoto a su novela *Il castello di Udine* (en *Studi di stilistica italiana*, 1936) había descubierto rasgos inadvertidos para él mismo, pero
exactos. Henri Barbusse hizo lo mismo con el análisis, no elogioso, de
Leo Spitzer; y Thomas Mann con la crítica a su *Doktor Faustus*, de
Lukács.
[4] Así se llama una serie de estudios de Criticus [Marcel Berger]
sobre escritores de nuestros días.

res que hagan públicas sus opiniones sobre los libros que leyeron (y siempre habrá escritores que curioseen en el taller de sus colegas y después comenten lo que han visto). De esa necesidad humana de la conversación sale la crítica, y en este sentido, buena o mala, no podemos renunciar a ella: es parte de la naturaleza humana.

Oigamos esto: la creación es vital, la inteligencia es anti-vital, por tanto, la crítica es anti-vital, está del lado de la inteligencia que debilita no de la vida que crea. ¡Como si la inteligencia no fuera también una función de la vida, como si la frase inteligente no fuera también natural, de la misma manera en que es natural un gesto de sorpresa o la palidez que acompaña a una emoción fuerte!

Echar la culpa a los críticos de los males de la literatura —son inservibles, o indiferentes, o exigentes, o incomprensivos, o irresponsables, o extorsionistas, etcétera— presupone, primero que se los lee, segundo, que se acatan sus veredictos. La crítica no tiene el poder de matar la poesía: generalmente mira a otro lado cuando el poeta empieza su lucha, y acude para celebrar sus triunfos.

La falacia de que solo los creadores tienen derecho a ejercer la crítica —«si los poetas hacen la poesía ¿quién mejor que ellos para saber cómo se la hace y de qué está hecha?»— merece un párrafo aparte.

2. *La crítica de los artistas*

Sócrates, en su Apología, contó cómo, para medir su propia sapiencia, fue a hablar con los poetas. «Les mostré —dice— los pasajes más elaborados de sus propios escritos y les pregunté qué significaban, confiando en que me enseñarían algo. ¿Querréis creerme? Me da vergüenza el decirlo, pero creo que cualquiera de nosotros podría explicar esos poemas mejor que como lo hicieron sus mismos autores. Entonces me di cuenta que los poetas escriben su poesía, no con la conciencia de un sabio, sino con la inspiración de un genio. Son como esos adivinos e iluminados que expresan hermosas cosas pero sin comprender su pleno sentido.»

Esa experiencia de Sócrates la han tenido innumerables lectores. Buscan directamente en el escritor la clave de una obra, pero en vano: ni el escritor la sabe. Pero es innegable que, al lado de esa larga serie de «no sé» que se oye en la historia de las conversaciones entre lectores y escritores, hay otra donde sí se oyen explicaciones satisfactorias en boca de los creadores. Esta serie afirmativa es paralela a la negativa, y ambas tienen la misma edad, como que quien hizo hablar a Sócrates de aquella manera fue Platón, y Platón, que era poeta, sabía aclarar perfectamente el significado de sus metáforas y alegorías.

Se comprende la impaciencia de Flaubert al ver la crítica en manos de gramáticos y de historiadores: «¿Cuándo —exclamó— el crítico será artista, nada más que artista, bien artista? ¿Dónde está la crítica que se preocupe por la obra en sí, de una manera intensa?» (Citado por A. Ricardou, en *La critique littéraire*, Paris, 1896). Pero lo cierto es que siempre hubo críticos-artistas, y no siempre se ocuparon de la obra en sí.

Los artistas, pues, pueden y no pueden hacer autocrítica. Según. La lista de poetas auto-críticos tiene grandes y antiguos nombres. Croce se burló de Jacques Maritain por haber dicho que la poesía adquirió por primera vez conciencia de sí con Baudelaire y Rimbaud [5]. De veras, era un disparate. Poetas que cobraron conciencia de la poesía los hubo en todos los tiem-

[5] *La crítica*, Napoli, 1939, anno 37.

pos y lugares. Dante, San Juan de la Cruz, Schiller...
Pero quizá un poeta de hoy que recapacite sobre su
propia creación sienta como antecedente inmediato el
de Poe, con su *Philosophy of Composition*, quien influyó en el simbolismo francés y, por ahí, en toda la
literatura occidental, poniendo de moda el tema literario de la autocrítica. Dechados ilustres de escritores
contemporáneos que han dado profundos vistazos a la
gestación de la propia obra son Henry James, Rilke,
Proust, Pirandello, Joyce, Valéry, Unamuno. Con todo,
esta autocrítica de los artistas no es superior a la crítica de los estudiosos. La literatura no es una producción exclusiva de los escritores. Es verdad que los escritores la crean, pero también es verdad que los
lectores la recrean y en este sentido tienen un conocimiento suficiente para juzgarla. Cuando se autocritica,
lo que hace el escritor es desdoblarse —como en un
monólogo— en un yo que produce y otro yo que con-
sume, y así en él se da el mismo circuito social que es
característico de la literatura: una persona se expresa
para que otra, al leer la obra, reproduzca una experiencia parecida. El escritor, cuando se autocritica, es
como otro hombre. En el acto I, escena II, de *The Ba-
rretts of Wimpole Street*, de Rudolf Besier, aparece
Elizabeth Barrett pidiendo a Robert Browning que le
aclare unos versos de «Sordello». Después de leerlos y
releerlos, y de tratar en vano de entenderlos, el poeta
exclama: «Bien, señorita Barrett, cuando se escribió
ese pasaje, solo Dios y Robert Browning lo compren-
dían. Ahora, solo Dios lo comprende.» La autocrítica
del escritor, pues, no es en esencia distinta a la de
cualquiera ni es necesariamente mejor. Si bien el escritor está cerca de su obra, no siempre la ve con la
necesaria objetividad.

Que la crítica pueda darse en una forma artística,
nadie lo duda. Ha habido crítica en forma de poemas
(Horacio, Lope de Vega, Pope, etc.). Pero un artista, al

hacer crítica, asume inmediatamente una actitud intelectual: no crea un mundo ficticio sino que se propone un conocimiento más o menos objetivo. Esto, aunque los artistas, al hacer crítica, estén justificando y explicando sus propias prácticas literarias, como Dante, Hugo, Eliot, etc. Mencionamos a Proust entre los escritores que supieron comprender sus propias creaciones. Proust había comenzado como crítico y aun como crítico de críticos: recuérdense sus páginas sobre Ruskin y Sainte-Beuve. Después pasó de la crítica a la novela, y en la novela nos dio la suma de su pensamiento crítico, tan rico, complejo y profundo que desconcertó a los críticos profesionales [6].

3. *La crítica científica*

Si no es justo adjudicar la crítica a los artistas, tampoco es justo adjudicarla a los científicos. Del valor estético no hay conocimiento exacto. Herbert Dingle, profesor de filosofía de las ciencias, ha sometido los llamados «métodos científicos» de estudiar la literatura a un riguroso análisis epistemológico, comparándolos con los verdaderos métodos de las ciencias. El resultado de su cotejo —*Science and Literary Criticism*, London, 1949— es negativo: no hay una ciencia de la literatura; y para que la haya sería necesario que antes se convirtiese en ciencia la psicología de la creación artística. En efecto, ni Sainte-Beuve, que creía que la biografía del escritor podía explicar sus obras, ni Taine, que creía que el influjo de la raza, del medio y del momento sobre la humanidad podría explicar al escritor, lograron un conocimiento científico de la literatura. Sus seguidores —Brunetière, Bourget, Hennequin— también dicen aplicar los métodos de las

[6] Véase mi artículo «El taller de Marcel Proust», *Los grandes libros de Occidente y otros ensayos*, México, 1957.

ciencias naturales, pero se quedan en puro ademán. R. G. Moulton fue más fiel al modo de proceder de las ciencias cuando señaló la necesidad de estudiar la literatura inductivamente, sirviéndose de hipótesis; pero su programa fue una mera expresión de deseos. En los últimos años el que se ha acercado más al método científico es I. A. Richards, si bien introduce en sus razonamientos conceptos seudo-científicos y operaciones anti-científicas. A diferencia de las ciencias positivas, las pretendidas «ciencias de la literatura» no acumulan sus resultados: cada una es independiente de la otra, comienza y termina con el estudioso que la promueve. Es que la ciencia establece relaciones entre datos comúnmente aceptados: un hombre siente calor, otro siente frío, pero ambos pueden concordar en un conocimiento científico del calor cuando leen el termómetro. En la literatura no hay la posibilidad de relacionar los fenómenos de tal manera que pueda llegarse, por asentimiento común, a establecer una cualidad verificable: no hay un termómetro literario. La ciencia puede especializarse en una rama, pero, si se trata de la botánica, pongamos por caso, el botánico no intentará separar la maleza de la flor siguiendo un gusto personal. Los estudiosos de la literatura —más jardineros que botánicos— aun antes de ponerse a trabajar ya han seleccionado su campo con preferencias muy subjetivas. Eso sí: aunque no haya una ciencia de la literatura —dice Dingle—, es recomendable que se estudie la literatura aprovechando algunos de los principios y métodos del pensamiento científico.

4. *Funciones de la crítica*

Las funciones de la crítica son múltiples, y el solo exponerlas ocuparía varias páginas. Vamos a contrapesar algunas de las funciones que se le atribuyen:

Que informa sobre una obra a quienes no la han leído todavía (pero la crítica no aspira a eximir a nadie de la lectura de los textos: más, una disquisición crítica no tiene sentido si quien la lee no conoce directamente el tema).

Que es un modo de enseñar, un modo de propaganda, un modo de persuadir a otros para que piensen como nosotros (pero si la crítica es suasoria ha de ser a favor del autor original, no del crítico).

Que guía a los mismos escritores (pero la crítica tiene demasiado respeto por la literatura para invadirla dogmáticamente y querer imponer un oráculo propio).

Que aparta, con autoridad de policía, lo bello de lo feo (pero, si eso fuera todo, la crítica sería innecesaria, pues el gusto de cualquier lector puede hacerlo).

Que continúa la obra original con variaciones impresionistas y comentarios estetizantes (pero a la poesía no la continúa nadie, como no sea un poeta: el crítico no puede, indiscretamente, impertinentemente, irreverentemente, suplantar al poeta y cantar con él).

Que explica una intuición poética original dándonos un equivalente lógico de ella en forma de prosa didáctica, y que de esa manera nos enseña a leer (pero no se puede traducir la poesía en anti-poesía; y aunque esa exégesis es útil, si se queda en puro arte de leer no alcanza a ser crítica).

Que sirve para reformar las costumbres (pero si la crítica se convierte en púlpito, tribuna o cátedra es un mueble que deberíamos ponerlo en su sitio, dentro de los edificios de la iglesia, el partido político o la escuela).

Que junta y compara los sucesivos juicios de valor emitidos sobre una misma obra (pero eso es hacer historia de la crítica, no crítica).

Que valora todo el legado literario de acuerdo con principios impersonales y tradicionales (pero el crítico es una persona viva, y él, no eso que se llama «un principio», es quien debe echar el fallo).

Que atiende las obras contemporáneas, desatendidas por la historia y la filología, ciencias del pasado (pero a la crítica le da lo mismo el pasado o el presente, pues siempre se pone cara a cara con las obras, por viejas o nuevas que sean).

Que es un secretario que redacta, antes de que se la dicten, la opinión que el público de todos modos va a formarse (pero la crítica no puede empequeñecerse a la tarea de anticiparse a los deseos populares).

Que debe iluminar una obra, dejando al lector la libertad de formar un juicio de valor (pero los rayos de luz con que el crítico ilumina llevan ya una dirección hacia el valor).

Que aprehende la estructura de una obra, estructura donde los componentes se relacionan funcionalmente entre sí, de acuerdo con ciertas normas de expresividad y rigor constructivo (pero esa aprehensión ha de ser evaluadora, más que fenomenológica).

Que orienta al público lector y le amplía la capacidad de gustar (pero conseguirá esto solamente si cumple antes con su estricta función, que es calificar una obra).

Que establece una jerarquía de grandes artistas, permitiéndonos no solo juzgar entre Sófocles y Shakespeare, entre Cervantes y Proust, entre Dante y Goethe, sino también poner a prueba, contra ese pasado jerarquizado, la producción de hoy (pero la crítica, aunque evaluadora, no compara a los excelentes para medir grados de excelencia; la calidad es inmensurable).

Que es otro género literario, especializado en conseguir que «vivamos» la literatura escrita por otros (pero la crítica no se limita a favorecer nuestras «vivencias», sino que también relaciona las obras con una historia objetiva).

Después de sopesar estos argumentos en pro y en contra —a los que podríamos agregar muchos otros— diríamos que todos ellos van dando vueltas alrededor de tres funciones importantes: una función reproductora, por la cual el crítico responde individualmente a la obra que lee, la gusta, la vive y la hace suya (aunque sea para luego rechazarla); una función interpretativa, mediante la cual el crítico levanta su andamiaje, construye su aula y explica la obra al público; y una función valorativa, que hace del crítico un juez. De estas tres funciones solo la tercera —la de decirnos si una obra es o no bella— nos parece exclusiva de la crítica. De aquí que la capacidad de una crítica sea, ni más ni menos, la capacidad personal de un juez y, en última instancia, solo haya dos tipos de crítica: la del talento y la del mediocre. Ya se verá, en los capítulos que siguen, que hay quienes, aspirando a la objetividad de las ciencias, dicen repudiar la crítica axiológica. También se verá que lo que esas personas hacen es subestimar o disimular la función discernidora, no suprimirla, puesto que al elegir una obra para desmenuzarla ya la están juzgando como obra de valor estético. En la práctica, aun los críticos que se jactan de «científicos» trajinan sobre los mismos autores, sobre los mismos libros que atraen a esos otros críticos que francamente comienzan por decirnos si tal escrito pertenece a la categoría de la belleza.

5. *La axiología del crítico*

Qué es la belleza, es asunto de la filosofía, no de la crítica. Sin embargo, conviene que el crítico esté preparado para mostrar sus credenciales: ¿desde qué teoría de los valores está juzgando la literatura?

Nuestra voluntad reacciona ante algo: lo quiero, no lo quiero», decimos. Estamos valorando. Al objeto de una valoración afirmativa le atribuimos un «valor»: el bienestar, la dicha, el amor, el poder, la justicia, la santidad, el bien, la verdad, la belleza [7]. Estos valores ¿son subjetivos? Sin duda se originan en la intimidad del sujeto que valora. Pero ¿no están también condicionados objetivamente como en el caso del valor económico del oro, que depende de su rareza, o como en el caso de la inimitabilidad de una singular expresión artística? Los valores ¿son relativos? Sin duda valoramos desde la situación en que no toca vivir y, en este sentido, los valores se relacionan con circunstancias históricas y sociales. Pero así y todo, estrechados como estamos en perspectivas muy circunstanciales ¿no entrevemos, al fondo y a lo alto, valores absolutos? En todo caso ¿no hay una normalidad humana fundamental que hace que, al reconocer un valor, sintamos que es válido también para otros? Claro que este sentimiento de la universalidad y eternidad del valor bien podría ser una prueba, no de que el valor estético existe independientemente de nosotros, sino de nuestro hábito de hipostasiar los contenidos del espíritu. Aun admitiendo que el hombre es la fuente de los valores ¿no podría ser que, de esa fuente, surgieran por revelación, por la fuerza de algo metafísico que nos atraviesa desde lo más profundo? Si el hombre está trascendiendo hacia fines y con sus acciones se va construyendo a sí mismo, programáticamente ¿no podría decirse que los valores son también trascendentes, puesto que, de cierta manera, se nos dan a la vez por dentro y por fuera, desde el impulso y desde el fin? Los valores nuevos —un nuevo estilo, digamos— ¿abren a nuestra vista regiones que ya existían objetivamente y

---

[7] Alejandro Korn, *Axiología*, La Plata, 1930. Véase mi estudio «La estética de Korn», en *Los domingos del profesor*, México, 1965. Bibliografías sobre el problema de los valores pueden encontrarse en las corrientes Introducciones a la Filosofía y a la Estética. En la *Ética* de Max Scheler hay una buena presentación del problema.

estaban esperando que se los descubriera, o más bien
son creaciones flamantes? ¿Hay un solo valor, cuyas
irradiaciones percibimos desigualmente? Si, por el contrario, son muchos los valores ¿habrá conflictos entre
ellos?: ¿una obra bella pero inmoral, verdadera pero
deprimente, etc.? En caso de conflicto ¿qué preferir?
¿Hay jerarquías entre los valores? Si las hay ¿cuál es
el criterio para ordenar los valores? ¿La verdad vale
más que la belleza, la belleza más que la justicia? Siendo que una obra literaria, por definición, debe ser
bella ¿no dependerá su «grandeza» de la armonía con
que el valor belleza se de junto con todos los demás?
Cuando el crítico declara: «esta es una obra valiosa»
¿qué quiere decir?, ¿que la obra es veraz en el modo
de copiar o simbolizar una realidad cualquiera?, ¿que
halaga al lector con emociones agradables o le sirve
para vivir mejor?, ¿que la obra tiene la suficiente fuerza expresiva para evocar en el ánimo de quien la lee
la experiencia que antes ocurrió en el ánimo de quien
la escribió?, ¿que la obra configura todos sus elementos en una compacta unidad artística de manera que
en la forma reside su excelencia? ¿Somos libres para
reconocer los valores? ¿Podemos, libremente, trans-
mutarlos? Si, por el contrario, cada quien ha nacido
con un insobornable modo de valorar ¿no queda la
crítica reducida a una superflua conversación entre
personas más o menos afines, sin esperanza de educar
literariamente a nadie? El crítico, al evaluar una obra
¿percibe un valor en la obra o, inducido por la contemplación de la obra, busca un valor en su propio
aparato mental, especializado en discriminar entre
gustos y disgustos?

He aquí unas pocas de las muchas cuestiones axio-
lógicas que el crítico debe plantearse. Sépalo o no, cada
vez que responda a una de esas cuestiones estará acompañado por sesudas escuelas filosóficas. Porque, según
dijimos, a la filosofía —teoría de los valores, estética—

corresponde indagar qué es el valor de belleza. La crítica no necesita ir a la raíz de tamaño problema: le basta con decirnos si una obra es o no literatura.

Parece una tarea fácil, pero no lo es. No es más fácil afirmar la belleza que afirmar los otros valores: el bien, la verdad, la justicia. Tal afirmación exige una conciencia escrupulosa, capaz de luchar contra las propias inclinaciones y contra la presión de un ambiente cultural. Quienes eligen, para desacreditar la crítica, los ejemplos del juicio espontáneo, improvisado e irresponsable que se suele dar en el periodismo —tipo de crítica que, como ha dicho Thibaudet, es la proyección de las maneras de la conversación— deberían admitir que también en los periódicos se discute, farragosamente, si una proposición es verdadera, si una acción es moral, si una ley es justa: ¿van a perder por eso el respeto a la filosofía, a la moral o a la política? Aquí, pues, solo tendremos en cuenta a los críticos escrupulosos.

No basta acatar el «juicio de la historia», en primer lugar porque también el conocimiento histórico está en tela de juicio. La historia declara la efectividad de ciertos monumentos: ya el elegir esos monumentos y no otros implica, indirectamente, la afirmación de un valor. Pero el crítico contempla directamente esos monumentos como valores en sí. El criterio del pasado no exime al crítico de su obligación presente: estimar por su cuenta y riesgo. El éxito de una obra no depende de los gustos de los contemporáneos —a Lope de Vega no le gustaba *Don Quijote*— sino de su valor objetivo. Objetivo dentro de la relatividad de las Humanidades. El valor de una obra no es absoluto, pero tampoco está disuelto en las reacciones nerviosas de cualquier necio. Relativismo, o sea, una forma mental que supone jerarquías; relativismo, pero no caos, que es amorfo y anárquico. Existe un canon de grandes obras, y las confusiones entre lo bello y lo feo no han sido tan frecuentes como los subjetivistas a todo trance suponen. La obra bella, por ser más compleja y honda, también suscita diferentes estimaciones pero es porque los críticos miran este o aquel aspecto, desde tal o cual nivel de profundidad.

6. *Los prejuicios de la crítica*

Todos, o casi todos, tenemos una conciencia estética que nos permite gustar de una obra (o sentir disgusto por ella). Pocos tienen una conciencia artística que combata contra las equivocadas preferencias del sentimiento, y, sobre todo, contra las propias debilidades. Si el crítico quiere formular juicios, debe ante todo evitar prejuicios.

Un prejuicio es el de creer que las obras deben calificarse según los géneros a que pertenecen, como si los géneros, que son meros conceptos mentales, pudieran darles o quitarles calidad. En vez de mirar dentro de la obra se está leyendo el rótulo engañoso que algunos preceptistas han pegado a la literatura.

De ese prejuicio se desprende otro: el de creer que hay una jerarquía de géneros. El género novela, por ejemplo, valdría más que el género cuento: en consecuencia habría que poner los mejores cuentos de Borges varios peldaños por debajo de las peores novelas de Hugo Wast.

Otro prejuicio: el de que el valor estético debe tasarse según que sirva o no a valores considerados como superiores. De aquí la tendencia (que el crítico debe resistir) a entrometer en su examen consideraciones de orden moral. Decirnos que una novela es moralmente edificante (o al revés) no es hacer crítica literaria, sino actuar prácticamente a favor del bien.

Otro prejuicio: que hay periodos, movimientos, escuelas, temas, formas que han logrado una excelsa belleza y que esta belleza, democráticamente, irradia sobre todas las obras que se amparan bajo cada uno de esos conceptos abstractos (sin advertir que esas obras, a veces, están ahí por meros rasgos externos, no por méritos intrínsecos).

7. *Las debilidades de la crítica*

No solo debe precaverse el crítico contra semejantes prejuicios, sino contra la tentación de ceder a fáciles juicios y contra las debilidades del juicio.

Por ejemplo: los juicios de la moda, del gusto popular y de la autoridad (preceptores, académicos, profesores, críticos indiscutidos).

O el creer que un gran escritor siempre escribe grandes cosas y que, por tanto, hay que afirmar la belleza de cuanto escribe (o al revés: condenar una obra particular nada más que porque su autor, en su restante producción, no nos merece respeto).

O el miedo a comprometerse dando un juicio nuevo y quizá sorprendente.

O la vergüenza a confesar que no se ve un valor que todo el mundo dice ver.

O el deseo de celebrar en una obra los altos ideales que nos animan, exagerando así su valor.

O el cariño a lo tradicional, que nos hace desconfiar de lo nuevo (o, al contrario, el romper lanzas por toda innovación, nada más que por desdén al pasado).

O el sentirse agradecido a obras que halagan nuestros sentimentos más caros.

O el no poder sobreponerse a las consignas de la vida política y religiosa, y tratar las obras como personas adictas o desafectas a nuestro partido o a nuestra parroquia.

O el formar círculos, grupos, familias y cenáculos

y dejarnos llevar por la amistad o la enemistad personales.

O el sobreestimar la propia función de la crítica y querer orientar, con preceptos y prohibiciones, no solo el gusto de los lectores, sino aun el afán creador de los escritores.

O el abusar de un método (el sociológico, el psicológico) hasta desvirtuar lo que, discretamente usado, sería eficaz.

8. *El cuestionario del crítico*

Si el crítico ha vencido a todos los enemigos que le cierran el paso llega a una posición desde la que está en condiciones de responder al siguiente cuestionario:

1. ¿Cuál fue la intención del escritor?
2. ¿Logró expresarla?
3. ¿Valía la pena escribir lo que escribió, si se tiene en cuenta el nivel artístico de su tiempo?
4. ¿Qué significado permanente tiene su obra en la historia de la literatura?

Es un cuestionario que, escalón por escalón, permite subir hasta ese punto donde la vista es más panorámica y, por tanto, el juicio es más comprensivo. Imaginemos un caso cualquiera. Por una confidencia nos enteramos de que la intención de un novelista joven de nuestros días ha sido escribir una novela científica a la manera de la «science fiction» de H. G. Wells. Eso no nos dice si consiguió realizar su intención. Supongamos que sí: todavía queda la posibilidad de que su esfuerzo haya sido superfluo. ¿Valía la pena dar un salto para atrás y regresar a situaciones, problemas y soluciones de hace más de cincuenta años? A pesar de sus viejas formas, resulta que la nueva novela es de veras interesante: el crítico debe preguntarse si su valor está en que es una ingeniosa parodia de Wells o un modo de replantear el tema en los términos de la física de hoy —desconocida por Wells— o un ejercicio para reescribir a Wells con un estilo anti-wellsiano o cualquier otro añadido que, por las vías del experimento, asegura a la nueva novela un lugar de excepción en la historia literaria. Tal es el cuestionario del crítico.

Las respuestas que el crítico de a ese cuestionario deben partir de la vigilancia directa de las obras, no de especulaciones psicológicas, históricas o morales. En el primer punto, pongamos por caso, el crítico no tiene en cuenta la intención «real» que sabe o que cree que anima al escritor, sino la intención «ideal» tal como se manifestó y objetivó en la obra; obra que, en esencia, es una construcción intencional. La intención real —comprobada en cartas, confidencias, propósitos anotados al margen de la propia obra, autocríticas y programas más o menos ambiciosos— pertenece a la biografía externa del escritor: la intención ideal es la que unifica y da sentido a la sucesiva verbalización de un poema o una novela, y esa se comprueba dentro del texto. Si comprender es admitir la obra como una realidad necesaria, cuya existencia se debe tolerar porque no hay otra cosa, entonces el crítico no comprende. Más bien retrocede ante la obra y la ve de lejos, como algo contingente en medio de un espacio abierto a muchas posibilidades.

CAPÍTULO III

MODOS DE ESTUDIAR LA CRÍTICA

En los últimos años ha surgido una crítica de la crítica que amenaza con convertirse en una nueva ciencia. Señalaremos algunos de los modos de estudiar la crítica.

A. LA CRÍTICA DE LA CRÍTICA

Un modo sería elegir solo los textos de unos pocos grandes críticos y desentrañar sus individuales concepciones del mundo, sus teorías de la literatura, sus tablas de valores y procedimientos. Es decir, hacer con los críticos lo que los críticos hacen con los poetas: monografías exhaustivas sobre Coleridge, Sainte-Beuve, De Sanctis, Brunetière, Arnold, Brandes, Croce, Menéndez Pelayo, Figueiredo, Thibaudet, Pedro Henríquez Ureña, Spitzer.

De la crítica sobre críticos concretos se podría pasar a una más abstracta crítica de la crítica. El alemán Siegfried Melchinger llama así, precisamente, a uno de sus libros: *Crítica de la crítica.* Puesto que la crítica libre, interrumpida en 1933 por el nazismo, no consiguió recuperarse después de la derrota de Hitler en 1945, el optimista Melchinger cree que una «crítica de la crítica» debería asumir la función necesaria y urgente de establecer «categorías cualitativas», independientes de toda tendencia: «En vista de que la literatura de nuestra época ha adquirido una multiplicidad de valores, permite que clásicos y modernos se reúnan y admite las tendencias más diversas, se debería poder establecer 'categorías cualitativas' con más facilidad que nunca.» (Véase su contribución a *Situacion de la critique. Actes du premier colloque international de la critique littéraire*, Paris, 1964.)

¡Sería demasiado pedir que la crítica se revisara los bolsillos y sacara nada menos que una absoluta tabla de valores estéticos! Bastaría con que se urgara la conciencia y después nos confesara algo mucho más modesto: por ejemplo, una epistemología que honradamente defina los límites del conocimiento de la crítica literaria. La crítica, generalmente, se refiere a obras extracríticas: se critica lo que está fuera y más allá de la crítica, a saber, un poema o una novela. Pero cuando, en lugar de criticar una obra imaginativa, se critica una obra que a su vez está criticando una obra imaginativa, lo que se hace es crítica de la crítica. Podríamos llamar 'metacrítica' a la obra que se refiere a otra crítica; y a esta, a su vez, por ser objeto de análisis, podríamos llamarla 'crítica-objeto'. Ambos términos —que tomamos, con buen humor, de la Logística— son correlativos. El término 'metacrítica' implica que estamos mencionando una crítica-objeto; y la crítica solo puede llamarse 'crítica-objeto' si es el objeto de análisis de una metacrítica. ¿Se entiende?

B.   LA HISTORIA DE LA CRÍTICA

Otro modo sería reconstruir la historia de la crítica. Larga historia. No bien apareció la literatura ya hubo quienes la pasaban por el tamiz.

Según Platón (427-347 a. C.) la poesía, sea que se inspire en una especie de locura o en algún furor divino, es irracional, y por alejarse de la verdad resulta, no solo inservible para la enseñanza, sino también pe-

ligrosa para las costumbres. El poeta imita cosas que,
a su vez, son copias degradadas de las ideas absolutas:
así, el arte literario es «un inferior que se casa con un
inferior y engendra hijos inferiores». A esta literatura
el Estado debe dirigirla: el juicio crítico es, pues, social. Según Aristóteles (384-322 a. C.) el placer que nos
da la literatura deriva de nuestra natural capacidad
para imitar la realidad. Imitamos artísticamente a
hombres y situaciones que pueden ser mejores o peores que en la vida diaria (Tragedia, Comedia). La literatura da *forma* a las espontáneas experiencias humanas, y al hacerlo no se queda en el mero relato de lo
que ha ocurrido sino que también nos habla de lo que
podría o debería ocurrir. La historia cuenta lo particular; la poesía, más filosófica, cuenta lo universal. El
poeta no es ni un loco ni un inmoral ni un imitador
de meras copias degradadas. Hay que juzgarlo por sus
dotes miméticas y configuradoras.

Platón y Aristóteles discrepan, pues, en la significación teórica y práctica de la poesía. Y en toda la
antigüedad oímos los ecos de esa discrepancia en Horacio, Quintiliano, Plotino, Longino. Posiciones extremas son las de Horacio y Longino. Horacio (65-8 a. C.)
cree también en la literatura como imitación, pero ya
en él lo que se imita no es solo la naturaleza, sino
también la literatura misma. Cree en los modelos del
pasado griego y convierte sus méritos en reglas. Su
Arte poética se funda en la sabiduría de la vida y en el
aprendizaje del arte. Es conservador, moderado, razo-
nador, didáctico. La laboriosa disciplina vale más que
la imaginación original. Longino (¿fines del siglo I d.
de C.? ¿siglo III?) prefiere gozar las expresiones excelentes de genios que remontan vuelo y dejan muy abajo
las reglas de sus contemporáneos. Su crítica es la de
un hombre de buen gusto —buen gusto formado en
una larga experiencia de lector— que se exalta ante
un pasaje, ante una frase de excepcional brillo. Estos

momentos de excelencia literaria o sublimidad pueden juzgarse objetivamente porque permanen a pesar del repetido examen, del cambio de las modas y de la diversidad de épocas, culturas y lenguas. La gran literatura nos transporta porque es la plena expresión de enérgicas almas individuales.

A partir de entonces la crítica crece, decae, resurge junto con el crecimiento, decadencia y resurrección de la literatura.

En la Edad Media apenas si hubo crítica; y aun lo poco que se hizo fue también teológico, en forma de exégesis de símbolos y alegorías. La originalidad de Dante (1265-1321) como crítico está en que, por su menor familiaridad con la crítica grecorromana, pensó en la literatura con los términos de la escolástica. Comprendió que era posible una gran literatura que enseñara y deleitara en lengua vernacular, lengua cortesana e imperial con nuevos temas y con una forma superior: la de la canción lírica. Boccaccio (1313-1375), más interesado en la cultura clásica y en los cambios de la época, defiende la literatura de los ataques de groseros, pedantes, hombres prácticos o teólogos miopes. La poesía es noble, aristocrática, y no teme a los paganos.

En el Renacimiento la crítica fue ya una actividad literaria independiente. Con la exhumación de la *Poética* de Aristóteles y las ediciones de los clásicos se inició una actividad teórica y práctica. Se discutía sobre la lengua, los modelos, las reglas y los géneros. Contra el prestigio del latín se defendió el valor de la lengua vernacular: contribuyeron a esta defensa los ejemplos de Dante, Petrarca y Boccaccio, el argumento de que palabras modernas eran más propicias a temas modernos, las traducciones de la Biblia y el nacionalismo creciente. Los críticos imitaban la literatura clásica —más la romana que la griega—, pero el sentir detrás de sí el pasado inmediato de la inculta Edad Media les hacía buscar formas en su propia época. En general el pensamiento crítico fue aristocrático: se estimaba la lengua de las clases superiores, se desestimaba la lengua popular. Había que alejarse de la expresión espontánea y en cambio enriquecer artificialmente el vocabulario y la sintaxis. También la práctica de los géneros literarios se basaba en la estructura social. Cada género correspondía a una clase de gente. En el teatro, por ejemplo, la tragedia, la comedia y la farsa señalaban diferencias en las capas de la sociedad. «Decoro» era un ideal al mismo tiempo cortesano y poético: mezclar los géneros equivalía a violar el decoro. Del numeroso grupo de críticos renacentistas se destacan Scaligero, Minturno, Du Bellay, Sidney y, sobre todo, Ludovico Castelvetro, quien formuló las unidades dramáticas de lugar y tiempo y celebró más el trabajo difícil del poeta para complacer estéticamente al público que la imitación de los antiguos con propósitos pedagógicos.

En el siglo XVII el asiento de la crítica se desplaza de Italia a Francia. Típico del gusto neoclásico, no original, fue Boileau (1636-1711). Se propone enseñar a los poetas las reglas racionales. Con la razón se descubre la verdad natural, y la verdad es belleza. Los clásicos lo hicieron y por eso hay que estudiarlos. O sea, hay que seguir a los clásicos porque ellos usaron el buen sentido: lo que importa es el buen sentido, tal como Boileau lo entiende. El buen sentido, por ejemplo, exige que se respeten las tres unidades dramáticas o se excluya de la épica lo cristiano. La crítica, con su riguroso código clasicista, se expande por toda Europa. En Inglaterra, pongamos por caso, donde Milton (1608-1674) había supeditado la creación literaria a ideales morales y políticos de libertad, la influencia neoclásica se manifestó en Dryden (1631-1700), menos dogmático gracias a su amor por Shakespeare, y en Pope (1688-1744), que repite las estrictas normas de

Enrique Anderson Imbert

«sentido común» dadas por el francés. En España la crítica se retuerce en las fórmulas del Barroco (la polémica alrededor de Góngora, v. gr.). Estos sistemas de doctrina tenían la cara vuelta a la literatura clásica: uno de los últimos críticos, en esta serie, fue Samuel Johnson (1709-1784), conservador, didáctico, pero ya decidido a rechazar del teatro las unidades de tiempo y lugar.

A mediados del siglo XVIII los sistemas clásicos empiezan a desmoronarse —es cuando la Retórica se desacredita definitivamente— y va ascendiendo una crítica capaz de ajustarse a la realidad inmediata: Vico, Lessing.

Poco a poco (digamos: de Herder en adelante) los ojos de la crítica se educan para percibir lo histórico. Se rechaza la teoría de la imitación, de las reglas y de los géneros y en cambio se está a la mira de la expresión de las emociones y de las ideas generales que pueden extraerse de cada obra.

No es posible reducir a fórmula la teoría literaria de Goethe (1749-1832) porque no se dio explícitamente y, además, se desenvolvió desde la iniciación del romanticismo en Alemania hasta el reproche a los excesos del tardío romanticismo francés. La antigüedad griega sí valía para él, pero consideraba que la poesía era la revelación de la humanidad misma, por intermedio de millares y millares de hombres desparramados por el planeta, y así sentó la noción de «literatura mundial». Para Wordsworth (1770-1850) el poeta es un hombre que habla a otros hombres de los sentimientos que le han producido situaciones y cosas ordinarias, sin seguir más reglas que las de su genio individual: «La poesía es el espontáneo desborde de sentimientos poderosos: se origina en una emoción recordada en momentos de tranquilidad: se contempla la emoción hasta que, por una especie de reacción, la tranquilidad desaparece gradualmente y una emoción, semejante a la que antes había sido contemplada, se produce gradualmente, y es la que de veras existe en la mente.» Coleridge (1772-1834) continúa ese pensamiento acentuando el hecho de que el proceso de la creación literaria procura la unidad orgánica, tanto de la conciencia del poeta como de todos los elementos de su poema, y que esa unidad no se propone el conocimiento sino el deleite estético en la esfera autónoma de la imaginación.

En el siglo XIX los románticos (los Schlegel, Coleridge, Mme. de Staël, Sainte-Beuve, de Sanctis) declaran la guerra a las fórmulas fijas y firman alianzas con las fuerzas de la sociedad, de la vida, del sentimiento y de la fantasía. En Francia, el romanticismo fue más polémico. Por ejemplo: para Víctor Hugo (1802-1885) la literatura se desenvuelve dentro de la sociedad, y sería absurdo que hombres de hoy imitaran reglas y modelos de ayer. Puesto que la personalidad histórica ha cambiado, el arte debe también cambiar, y es el genio libre quien promueve el cambio.

En seguida vino la reacción. Se quiso explicar la literatura. Sainte-Beuve (1804-1869) se propuso comprender al escritor como hombre y dentro de su grupo social antes de juzgar su obra, de ahí su método biográfico. Matthew Arnold (1822-1888) oyó las explicaciones de los naturalistas pero, más cerca del humanismo que de la ciencia, se mantuvo aparte, reacio a mezclar la literatura con las actividades prácticas, atento al recuerdo de los momentos de excelencia en los grandes maestros de la expresión: para él la poesía ocupaba un rango superior a la religión, la filosofía y la ciencia. Hubo quienes, por el contrario, consideraron la literatura como fenómeno natural. Taine (1828-1893) aplicó a su estudio los métodos de las ciencias biológicas y sociales: un poema es el documento de un hombre determinado por raza, época y ambiente. Su concepto de evolución, sin embargo, era más hegeliano que naturalista. La literatura sigue los movimientos históricos de la sociedad y depende del «momento», esto es, del «espíritu de la edad». Zola (1840-1902), partiendo de la idea de que el hombre está determinado por la herencia y el medio, creyó en una crítica (y en una novela) que procediera experimentalmente, como las ciencias fisiconaturales. Brunetière era católico pero pidió prestado, a la teoría de la evolución biológica, el concepto de géneros que nacen, se desarrollan y mueren dentro de «la lucha por la vida». Solo que, a pesar de sus metáforas darwinistas, Brunetière pensaba en una causalidad interna, en la influencia de unas obras literarias sobre otras. Las leyes de la literatura eran para él distintas a las naturales. Nos dio así una descripción de las «funciones» del drama, la novela y la poesía.

A fines del siglo XIX encontramos dos familias de críticos, según que crean en el «arte por el arte» o en el «arte utilitario». A la primera familia pertenecen los críticos parnasianos, simbolistas, esteticistas e idealistas (Baudelaire, Wilde, Croce, Jules Lemaitre, Anatole France). A la segunda pertenecen los críticos realistas, sociológicos, científicos, con actitudes didácticas, morales o de propaganda. (Vissarion Belinsky, Tolstoi, darwinistas, marxistas.) Para Tolstoi (1828-1910) el arte es una actividad social: alguien expresa simbólicamente sus sentimientos y esos símbolos hacen que el lector reviva la experiencia original. Arte superior es aquel que afecta a grandes masas de humanidad, y sus rasgos son morales, puesto que, al expresar el amor a Dios o los sentimientos comunes del pueblo, ayuda al desarrollo del individuo y de la sociedad. Marx no fue crítico literario pero algunas de sus proposiciones movieron a críticos como el alemán Franz Mehring (1846-1916) o el ruso Georgi Plekhanov (1856 1918) a buscar las determinantes sociales de la obra literaria, si bien reconociendo al arte una autonomía que marxistas ortodoxos del siglo XX le negarán.

En el siglo XIX, pues, la crítica se incorpora, con toda la dignidad de una disciplina, a la historia de las ideas. En el siglo XX, como se verá más adelante, crece y sobrecrece. Decimos «sobrecrece» porque la crítica novecentista es muy consciente de su expansión geográfica (ya no se limita a Francia, Inglaterra y otros pocos países europeos), de sus métodos revolucionarios (ya no se limita a proponer gustos, marcos históricos y explicaciones) y de su función creadora dentro de las humanidades (ya no se limita a ser la intermediaria entre el poeta y su público). Consecuencia de esta mayor conciencia que la crítica tiene de sí (la verdad es que la crítica se dio el nombre de 'crítica' solamente a partir del siglo XVIII) es su aire de modestia. Los críticos del siglo XX, a diferencia de los que acabamos de reseñar en este rápido sumario, saben muy bien que el conocimiento del valor es problemático. De ahí que opten por trabajar con instrumentos analíticos en talleres especializados.

Esta sería una historia lineal de la crítica. Pero la historia es una maraña de hilos: flecos ondulantes que se entrecruzan y vuelven a separar, intrincadas hebras transversales, hilachas sueltas, hasta telarañas. ¡Qué bueno tejer con todo eso redes históricas! Por ejemplo: historia de los malentendidos entre lo que hacen los poetas y lo que quieren los críticos; historia de las cornadas que los partidos políticos, los Estados y las iglesias dan a los críticos que se atreven a salir a la arena; historia de las influencias que el racionalismo de Descartes, el empirismo de Locke, el idealismo de Leibniz, han tenido sobre la crítica nacional de Francia, Inglaterra y Alemania... Cada cultura conserva sus propias preferencias, pero en el siglo XX los movimientos críticos son más bien internacionales. Si nacen en un país, pronto se internacionalizan.

C.   LAS FILOSOFÍAS DE LA CRÍTICA

Un tercer modo sería estudiar las filosofías —implícitas o explícitas— en los afanes del crítico. Hay críticos que nos entregan su tarjeta de afiliación: Albert Thibaudet, por ejemplo, al mostrarnos su afiliación al bergsonismo, nos dijo cómo, en la historia literaria, buscaba la fuerza creadora de la duración personal de cada escritor en obras siempre imprevisibles. A otros críticos, por el contrario, hay que sonsacarles su afinidad con tal o cual sistema de ideas. Según Roland Barthes (*Essais critiques,* París, 1964) en la crítica francesa prevalecen cuatro filosofías: existencialismo, marxismo, psicoanálisis y estructuralismo. No son esas las que prevalecen en otros países. Por eso tal vez sea mejor pensar, no en situaciones nacionales, sino en las posiciones fundamentales que pueden asumirse ante el problema del conocimiento, en este caso del conocimiento de la realidad literaria.

La interpretación de la realidad, en arte, ha oscilado entre dos polos opuestos: el objetivo y el subjetivo. Un ojo espiritual que, pasivamente, registra la existencia del mundo externo, lo imita y lo representa; y un ojo que, enérgicamente, construye un mundo ideal, lo imagina y lo expresa. Se ha dicho que la teoría de la imitación domina desde Aristóteles hasta mediados del siglo XVIII; y que la teoría de la expresión domina desde Rousseau hasta hoy. Croquis demasiado somero. Más vale reconocer, en todos los tiempos, esa oscilación de realistas e idealistas interpretaciones del arte. Y aun la de quienes, conscientes de que tal péndulo es un juego intelectual, vivían en todas las posiciones y entendían el vivir del arte con todas las preposiciones: en, entre, con, desde y hacia la realidad. Quizá esta completa experiencia, ni objetiva ni subjetiva, sino existencial, sea la que echa el pie adelante en los últimos años. Como aquí solo nos concierne la crítica contemporánea, circunscribiremos a los filósofos de hoy. Podríamos, pues, delimitar la multiplicidad de tendencias en tres mayores: el realismo, el idealismo y el existencialismo. A esas tres van a desembocar algunas corrientes del siglo XIX y nuevos manantiales del siglo XX.

1. *La filosofía realista*

En el conocimiento de la literatura el objeto conocido, no el sujeto que conoce, es lo decisivo. La literatura se muestra como registro de algo acabado, de algo definido en una estructura que se impone objetivamente; pertenece a un mundo de objetos reales que existen fuera de la conciencia. Todos los percibimos. No tenemos más remedio. Se nos imponen desde fuera.

Es natural que, con esta resuelta afirmación del ser real de la literatura dentro de un mundo real, la crítica realista tienda a encadenar el valor estético de un poema, una novela o un drama a algo que no es literatura. Se exagera su función mimética. La categoría de la imitación prevalece como interpretación y como juicio. No pondera la literatura como un todo independiente sino como efecto de causas no literarias. Se mata por explicar la literatura con la sociología, la etnografía, la psicología, la física y aun la metafísica. La literatura adviene siempre determinada desde fuera. Al estatuir una relación necesaria entre una causa y un efecto, los críticos suelen formular leyes que les permitirían juzgar de antemano lo que va a venir. Pero, modestamente, estos profetas prefieren profetizar el pasado. Además, como no les atrae la total obra literaria, sino solo ese lado por el que está ligada a una placenta, estos críticos acaban por tronzar la obra en «forma» y «contenido», descartan la «forma» y revuelven en el «contenido» para encontrar allí ingredientes sociales, históricos, folklóricos, lingüísticos, religiosos, políticos, ideológicos, etc.

2. La filosofía idealista

En el conocimiento de la literatura el centro de gravedad está aquí en el sujeto que conoce, no en el objeto conocido. La literatura es algo que ocurre en una conciencia, sea del escritor o del lector. Todo lo que constituye el mundo de la literatura es una representación subjetiva. Percibimos la literatura en la intimidad. Si la literatura registra algo fuera de la conciencia no lo podemos conocer: la conocemos solo como fenómeno psicológico.

Es natural que estos críticos se orienten hacia el goce o el juicio puramente estéticos. Así como los realistas exageran el valor mimético y representativo, estos exageran el valor imaginativo y expresivo. Y para enfrentarse directamente con el valor estético de una obra literaria se las entienden con el texto, que es una red de símbolos mediante los cuales la conciencia del escritor y la conciencia del lector se identifican. No es el texto lo único que les engolosina, pero será el análisis del texto el punto de partida para cualquier ensanche de la investigación. A esta crítica se la llama también «interna», puesto que los textos son lo más recogido, lo más focal de la literatura. Todo lo demás —la naturaleza, la sociedad, la historia, aun la vida misma del escritor— está del lado exterior de la literatura.

3. La filosofía existencial

En el conocimiento de la literatura —dice la crítica historicista y existencial— es falso practicar la dicotomía «realidad» por un lado e «idealidad» por otro. La literatura no es ni una cosa objetiva ni una imagen subjetiva: es una expresión arrojada a la vida histórica por una concreta conciencia humana. El sentido de una obra literaria debe comprenderse en sus nexos con el tiempo vivido por quien la escribió.

Es natural que, con una concepción que integra lo real y lo ideal de toda existencia histórica, estos críticos principien por trasladarse dentro de la singularísima estructura funcional constituida por el escritor y su circunstancia y desde allí encomien la unidad con que el valor se empapa de historia y viceversa. Un poeta, un novelista, un dramaturgo sustentan valores estéticos que se les han formado en la conciencia mientras atalayaban las posibilidades de su horizonte histórico. Lo estético, lo histórico, pues, se han dado juntos en la existencia personal del escritor y en la gestación de su obra; y, por tanto, el crítico debe, delicadamente, patentizar esta historicidad del arte. La crítica historicista procura aprehender el valor estético dentro de la historia, lo histórico dentro del valor estético, la consustancialidad, en suma, de estética e historia. No reducen la obra artística a la imitación de cosas exteriores, como los realistas; ni a una intuición pura, desencarnada de materia, como los idealistas; sino a una expresión que no hace esfuerzos para quedarse en uno de los polos —el objetivo o el subjetivo— sino que, como un péndulo impetuoso, recorre diez y mil veces ese violento vaivén que es «nuestra» realidad. Para Théophile Spoerri la obra de arte es una construcción, un proyecto que el lector recrea. El análisis estructural de tal obra nos hace participar en la conciencia activa de un hombre, de su destino histórico y de su nuevo modo de plasmar el mundo. La crítica —dice— «toma la historia en serio porque el hombre no hace nada fuera de la historia, pero no considera al hombre o a su obra como un producto de la historia, como un mero eslabón en la cadena de causas y efectos, como el término de una serie de influjos, sino que la visión misma del escritor y la fábrica de su obra es un nuevo comienzo surgido de las profundidades del ser, revelador de las estructuras fundamentales de la existencia»[1]. Para los críticos existencialistas la obra se origina en un hombre que ha elegido la actividad literaria; y es el acto libre y responsable de haber elegido el escribir esa obra, y no otra, lo que debemos analizar en la conciencia temporal del escritor.

D. LOS GÉNEROS DE LA CRÍTICA

Otro modo de estudiar la crítica sería seccionarla en géneros. Si fraccionamos la literatura en géneros y subgéneros ¿por qué no hacer lo mismo con la crítica? Podríamos acotar sus campos de trabajo, reconocer sus ideas constructivas y ver cómo levanta sus edificios.

1. La crítica que acepta la existencia real de los géneros —epopeya, tragedia, lírica, etc.— como si fueran instituciones o reinos naturales fijos que imponen sus leyes a los escritores. Esta «crítica de los géneros» es la más clásica, como que viene de Aristóteles y Horacio. Suele ser estática: y aunque se agite y cambie de postura en su sillón académico, no se resuelve a ponerse de pie para acompañar a las obras individuales en sus libres paseos por la historia. Prefiere postular «núcleos ónticos» en el fondo de las clasificaciones de la literatura. No solo nos habla, pues, de «la poesía» y de «la novela», sino de sus cualidades esenciales: «la poeticidad», «lo novelesco», etc. En las épocas clásicas la crítica de los géneros fue rígida, autoritaria y didáctica. En los últimos tiempos, esta crítica, sin dejar de ser definitoria, se ha hecho más empírica[2].

[1] Théophile Spoerri, «Elements d'une critique constructive» (en *Trivium*, Zurich, 1950, VIII).
[2] Irvin Ehrenpreis, *The «Types» approach to Literature*, New York, 1945. Paul Van Tieghem, «La question des genres littéraires» (en *Helicon*, 1938, I).

2. La crítica que fiscaliza las literaturas nacionales como conjuntos cerrados. Con excesiva lógica se arman categorías geográficas, lingüísticas, raciales que —como las de los géneros— actúan con supuestas leyes sobre la actividad creadora de los escritores. Si se examina un estilo internacional como, por ejemplo, el neo-clasicismo, Henri Peyre dirá que el francés es un caso nacional aparte[3]. Josef Nadler hará la historia de la literatura alemana anotando las peculiaridades raciales de cada «tribu» y «región»[4].

3. La crítica que le toma el pulso a una obra para percibir los latidos de un gran sistema circulatorio de tradiciones.

4. La crítica que busca en la obra las marcas de nacimiento: el lunar que le deja el «periodo» en que aparece. En vista de que en la época contemporánea los cambios literarios ocurren mucho más rápidamente, la crítica de los periodos se ha hecho crítica de las generaciones[5].

5. La crítica que busca las fuentes. (Paul Van Thieghem, *La Littérature comparée*, la bautiza: crenología, de κρήνη, «fuente».) Una obra está ligada a las circunstancias del escritor por infinidad de lazos, la mayor parte de ellos irrecuperables. Cuando se denota una filiación —esto es, un hilo concreto que vincula una obra a una realidad genesíaca— se ha encontrado una fuente. Discriminar entre parecidos de familia, fortuitas coincidencias, afinidades, meras sospechas, influencias, imitaciones, incentivos, emulaciones, transposi-

[3] Henri Peyre, *Le Classicisme Francais*, 1933. (Traducción: *¿Qué es el clasicismo?*, México, 1953.)

[4] Josef Nadler, *Literaturgeschichte des deutschen Volkes*, 4 vols., Berlin, 1938-40.

[5] Albert Thibaudet, en *Physiologie de la critique*, se refiere a estos cuatro géneros arquitectónicos que acabamos de reseñar clasificándolos así: los dos primeros, preferidos por la crítica clásica, son estáticos y lógicos; los otros dos, preferidos por la crítica del siglo XIX son dinámicos y cronológicos.

ciones, plagios, es tan difícil que el crítico, si no se cuida, suele adquirir un molesto aire detectivesco [6]. La verdad es que las fuentes —como decía Gide— despiertan pero no crean. En todo caso, lo que importa es ver qué es lo que un escritor sabe hacer con un material recibido. Hay fuentes vivas (las experiencias del escritor), fuentes escritas, fuentes orales. Pueden ser positivas, si el escritor se inspira en ella, o negativas, si reacciona a ellas; conscientes y subconscientes; exteriores si la certeza de que el escritor ha usado la fuente se nos impone desde fuera, con fuerza de documento, o internas si descubrimos los indicios en la obra misma; fuentes madres, accesorias y parciales...

6.   La crítica que enlaza las formas de la literatura con las formas de otras artes. No se trata aquí de fuentes —como cuando Arturo Marasso, en *Rubén Darío y su creación poética,* La Plata, 1943, documenta los cuadros que inspiraron algunos poemas—, sino de pespuntar las correlaciones entre las artes y las letras. Para estos críticos los cambios generales en la vida social afectan simultáneamente todos los medios de expresión artística. En cada medio —pintura, música, literatura, etc.— el artista debe hacer cristalizar una forma valiosa. Eso es el estilo: un modo de ver y un modo de representar lo que se ve. Como los hombres de un mismo periodo histórico suelen tener la misma visión y la misma técnica, hay interferencias entre las artes. Es decir, las técnicas que se emplean en un medio pueden emplearse también en otro. Aparecen así análogas formas. Percibimos las formas más inmediatamente en unas artes que en otras (en arquitectura, pintura y escultura son más patentes que en drama, literatura, música) pero en verdad no hay formas artísticas que sean más reales que otras. Todas las formas son simbólicas. Al hablar de las analogías formales

[6]   Amado Alonso, «Estilística de las fuentes literarias. Rubén Darío y Miguel Angel» (en *Materia y forma de la poesía,* Madrid, 1955).

entre un poema y una estatua, pongamos por caso, debemos apelar, no necesariamente a una realidad común, sino a un común tratamiento simbólico de realidades que bien pueden ser diferentes. Cualquier equiparación entre las artes que se quede en temas exteriores es superficial, equívoca, deficiente. Lo que habría que parear es la organización interior de las formas [7]. El comparar por fuera *L'Après midi d'un faune* de Mallarmé con su versión pictórica por Manet, su versión musical por Debussy y su versión coreográfica por Nijinsky no es crítica literaria. La crítica juzga la estructura de un objeto estético y, en todo caso, estudia ahí, funcionalmente, las cualidades lingüísticas, pictóricas, musicales y coreográficas.

7. La crítica que radiografía las cosmovisiones ocultas en las obras. Puesto que un escritor intuye inteligentemente sus propias experiencias y, con disciplina, lucidez y armonía va construyendo su obra, es de importancia primordial que el crítico comprenda su actitud ante el mundo. Es lo que hace George Santayana cuando, en *Tres poetas filósofos*, muestra a Lucrecio frente a la naturaleza, a Dante frente a la salvación y a Goethe frente a la vida.

8. La crítica que compara las literaturas o, al menos, las inspecciona en su interdependencia. El talante de una obra, de una personalidad, de una escuela suele cambiar radicalmente si el crítico las pone en contacto con otras. Estos contactos pueden ser de una literatura nacional con otra o, más ambiciosamente, dentro de lo que se ha llamado «literatura universal». Paul Van Tieghem distingue entre el estudio de una «li-

[7] Quienes se interesan en esta dirección de la crítica pueden consultar las dos tesis extremas. La positiva es de Thomas Munro, *The Arts and their interrelations*, New York, 1949; la negativa es de Giovanni Giovannini, «Method in the study of literature in its relation to the other fine arts» (en *The Journal of Aesthetics and Art Criticism*, 1950, VIII), para quien esos alegados paralelismos no existen sino en la jerga irresponsable del crítico.

teratura comparada» que relaciona obras concretas de escritores de diversas nacionalidades y el estudio de una «literatura general», que muestra los movimientos que agitan todo el cuerpo de la cultura internacional. La primera estudiaría, por ejemplo, la influencia de Byron sobre Heine; la segunda, el romanticismo en toda Europa. Aunque estos estudios, hasta ahora, han tenido dificultad en definir su objeto y su método —¿qué es lo que se compara, cómo se verifica una influencia, cuándo y dónde se inicia tal o cual ritmo en la oscilación del gusto literario?— no hay duda que corrigen la estrechez de las historias locales y favorecen la educación humanística.

9. La crítica que reedifica textos perdidos mediante el estudio de los contextos. Naturalmente, es usual entre los medievalistas (v. gr.: Ramón Menéndez Pidal), pero hay también uno que otro curioso especimen en literaturas modernas. Robert Louis Stevenson dejó sin terminar su novela *St. Ives:* el crítico Quiller-Couch, después de un sondeo concienzudo, escribió los seis capítulos finales conservando el espíritu de la obra e imaginando el desenlace al modo stevensoniano. Muchas supercherías literarias tienen este valor de crítica de reconstitución de textos. José Marchena llenó una laguna del *Satiricón* de Petronio con un fragmento que él fraguó en latín, y tal fue su tino que reputados especialistas alemanes tomaron el embaucamiento como texto auténtico.

10. La crítica que confronta las redacciones sucesivas de una misma obra[8]. Ante todo, abre los ojos de todo lector que, ingenuamente, tienda a ver en un texto formas fijas, inmóviles. Recuerda al distraido que

---

[8] Sobre las variantes de Marcel Proust, por ejemplo, están los trabajos de León Pierre-Quint (*Comment travaillait Proust*, 1928); D. Adelson, «Proust's earlier and later styles: a textual comparison» (1943); Gianfranco Contini, «*Jean Santeuil*, ossia l'infanzia della Recherche» (1953).

la obra es una creación y, por tanto, nace del cambio. Muestra al artista en el momento de elegir entre varias soluciones posibles. Enseña cuáles son las direcciones constantes que han prevalecido en la dinámica mente del escritor. El peligro está en que la crítica de las correcciones y las variantes, si se hace mal, puede destruir la unidad de la obra y en vez de aprehenderla como síntesis de la fantasía, la subdivide en varias fases. Sería falso suponer que hay una primera versión que origina las siguientes en una sucesión progresiva. Si ingenua es la idea de que el último texto es fijo e inmóvil, no menos ingenua es la idea de que el primer texto que conservamos es fijo e inmóvil. La noción teológica de un «primer motor inmóvil» oculta la verdadera génesis de la obra, tan compleja que nunca se podrá documentar: aun el primer texto es parcial e insuficiente. Esta crítica, pues, sirve solamente a condición de que caracterice una obra por dentro.

11. La crítica que inspecciona las traducciones, adaptaciones, imitaciones y aun parodias[9].

12. La crítica que se hace en forma de literatura (el paradigma clásico en nuestra lengua es el *Don Quijote*, espléndido ejercicio de crítica literaria). En nuestra época las observaciones de crítica literaria que intercala Proust en *A la recherche;* o las de Santayana en *The last puritan;* o las de Aldous Huxley en *Point counterpoint.*

13. La crítica como discusión con críticos precedentes.

14. Etcétera.

Pero todos estos géneros (o subgéneros) se disuelven en realidad en otras posibles clasificaciones de la crítica.

[9] L. Deffoux, *Le pastiche littéraire des origines à nos jours,* Paris, 1932. Kenneth N. Douglas, «Translations in English, Spanish, Italian, German of Paul Valery's *Le cimetière marin*» (en *Modern Language Quarterly,* 1947). Olaf Blixen, *La traducción literaria y sus problemas* (Montevideo, 1954).

Enrique Anderson Imbert

E. LA METODOLOGÍA DE LA CRÍTICA

Otro modo de estudiar la crítica —el que intenta remos en el próximo capítulo— es el metodológico.

Los cuatro modos ya reseñados —las actitudes personales de los críticos, el desenvolvimiento histórico de la crítica, las filosofías de la crítica y los géneros de la crítica— aparecerán ahora en una nueva clasificación: una tipología de la crítica según los métodos que usa. Métodos fundamentales, todos en actitud de combate, con sus armas especiales en la mano, dispuestos a tomar posesión de la literatura. En el próximo capítulo intentaremos una clasificación personal de los métodos, pero aquí, solo a título de curiosidad, vamos a resumir algunas clasificaciones propuestas por otros autores. Repárese en que ninguna es satisfactoria. La que no deja fuera de cuadro un tipo, deja otro. O una desune lo que la otra une. Y así. Lo mejor sería cambiar de mirilla para que, al pasar de una clasificación a otra, se complete el panorama. Un reticulado corrige el otro.

Para Thomas Clark Pollock (*The nature of Literature*, 1942) el estudio de la literatura queda repartido en una Teoría, una Historia y una Crítica. Esta última se divide en: 1) crítica como análisis de las características de una obra literaria; y 2) crítica como juicio del valor de una obra. La crítica juzgadora, a su vez, se divide en dos clases, la que evalúa desde el punto de vista personal e impresionista del crítico, y la que evalúa desde el punto de vista de normas sociales y éticas aceptadas por el crítico.

Para Albert Thibaudet (*Physiologie de la critique*, 1930) hay tres tipos: la crítica espontánea (el lector común y el periodista), la crítica profesional (profesores), la crítica artística (los escritores mismos).

Para George Boas (*A primer for critics*, 1937) hay dos tipos: la crítica que estudia los valores estéticos como fines últimos y la crítica que estudia los valores estéticos como medios para alcanzar otros valores (el Bien, la Verdad, la Justicia, etc.) considerados superiores.

Para Fidelino de Figueiredo (*Aristarchos*, 1938) hay dos tipos: crítica como ciencia e historia de la literatura, con todos los métodos disponibles para llegar a un conocimiento objetivo; y crítica como dirección del espíritu, intuitiva, interpretativa y creadora.

Para Harold Osborne (*Aesthetics and Criticism*, 1955) hay cuatro tipos: la crítica psicológica, la histórica, la exegética y la impresionista. En la crítica exegética —que es la que el autor prefiere— incluye todas las maneras objetivas de estudiar un texto, desde la mera erudición hasta el análisis estilístico.

Para Harry Hayden Clark («Why is literary criticism in America worth studying?», en *The achievement of american criticism*, editado por C. A. Brown, 1954) hay cuatro tipos: la explicación histórica, la descripción interpretativa de los textos, el plácito impresionista y la crítica juzgante y evaluadora.

Para F. J. Billeskov Jansen (*Poetik*, 1941-45) hay dos tipos: la crítica del motivo, esto es, de la intención creadora; y la crítica de la realización, esto es, la del estilo artístico y composición técnica de la obra. Ambas críticas caracterizan el valor estético según: 1) su universalidad; y 2) su particular efecto sobre el lector. Las combinaciones de los dos tipos de crítica y los dos modos de caracterizar el valor son eficacísimas sobre todo en la crítica comparativa, que es el método por excelencia de una historia literaria interesada en apreciar la originalidad de cada obra.

Para Théophile Spoerri (*ob. cit.*) hay dos tipos: la crítica del espectador y la crítica del participante. La primera mira la obra como algo ajeno y nos dice lo

que piensa o siente: sus métodos son intelectuales
(histórico, filosófico, psicoanalítico, cultural) o senti-
mentales (estético, impresionista, lírico). La crítica del
participante ve la obra como un acontecer, como una
construcción que envuelve al crítico y lo compromete;
recrea activamente el acto mismo de la creación poética.

Para Wayne Shumaker (*Elements of Critical Theory*, 1952) hay dos tipos: 1) la crítica descriptiva, que
se subdivide según que el análisis vaya desde fuera
hacia dentro (crítica externa) o desde dentro hacia fuera (crítica interna); y 2) la crítica evaluadora, que a
su vez se subdivide según que el valor sea puramente
estético o que se aprecien valores no estéticos, como
la moral, la verdad, etc.

Para Guy Michaud (*L'Oeuvre et ses techniques*.
París, 1957) solo hay un método, el que nos lleva a en-
frentarnos directamente con una obra particular, a lo
largo de tres etapas continuas: la intuición de conjunto, en la primera lectura, que revela el gusto del lector;
el análisis científico, que prepara para un segunda lectura; y, en esta segunda lectura, la síntesis final del
juicio estético, mediante la cual se recrea la obra con
arte creador, si bien el crítico no es un impresionista,
sino que co-nace con la obra, existe para ella, *es* la
obra, al menos por un momento.

Para M. H. Abrams (*The Mirror and the Lamp*,
1953) hay cuatro críticas. Tres de ellas vinculan la
obra con otra cosa: con una realidad externa («universo»), con el autor que la escribió («artista») y con
los lectores que la leen («público»). La cuarta crítica
analiza la obra misma, independiente y autónoma, y
está en el centro del triángulo de las otras tres.

Para Alfonso Reyes (*El Deslinde*, 1944) la literatura es como un diálogo entre un creador (postura activa) y un público (postura pasiva). En la postura pasiva
hay varias fases. Fases de un orden general, que con-

templan la literatura como todo orgánico: Historia de la Literatura, Preceptiva y Teoría Literaria. Y fases de un orden particular, que se enfrentan con productos literarios determinados: tal obra o tal conjunto de obras. Estas fases del orden particular son las de la crítica, que se acerca a las obras concretas recorriendo tres grados de una escala: 1) la impresión: receptividad de la obra; 2) la exégesis: métodos histórico, psicológico y estilístico que, al integrarse, nos dan una ciencia de la literatura; y 3) el juicio: corona de la crítica.

Y ahora pasamos al capítulo IV: allí, de toda la crítica del siglo XX, vamos a abstraer algunas posturas de trabajo, constantes, impersonales y objetivas. No necesitamos recalcar que tales tipos metodológicos son meros marcos vacíos, sin figuras. O, mejor dicho, que las figuras de los críticos se moverán por detrás de los marcos y tan pronto los veremos entreaparecer por uno como por otro. Raro sería que un crítico ilustrara exclusivamente un tipo de crítica. Aun en los casos donde el crítico se auto-rotula, es evidente que, al hacer crítica, nos está dando más de lo que prometía [10]. Si se juntaran todos los métodos tendríamos un programa de investigación tan laberíntico que no habría crítico que pudiera entrar y salir: recuérdese que Stanley Edgar Hyman, en *Armed Vision: A Study in the Methods of Modern Literary Criticism*, New York, 1948, al trazar todos los caminos que habría que recorrer para explorar una obra sola, redujo al absurdo la posibilidad del «crítico ideal». Pero tampoco el crítico que, prudentemente, se resigna a un método, puede renunciar al resto del sistema.

---

[10] Paul Hazard, en *Le Don Quichotte de Cervantes*, 1932, va más allá de la «explication de texte». Amado Alonso, en *Poesía y estilo de Pablo Neruda*, 1951, no se queda en el puro análisis estilístico. Herbert Read abraza, teóricamente, el método del psicoanálisis, pero cuando hace crítica no lo aplica (*The nature of literature*, 1956).

CAPÍTULO IV

CLASIFICACIÓN DE LOS
MÉTODOS DE LA CRÍTICA

Antes de abordar la metodología recordamos al lector el distingo que hicimos entre «disciplinas que estudian la literatura» y los «métodos críticos para estudiar la literatura». Las disciplinas a que pasamos revista en el primer capítulo —historia, sociología, lingüística, etc.— no tienen por función específica el juzgar si una obra es bella o no. En cambio los métodos histórico, sociológico, lingüístico, etc., por mucho que arranquen de un cabal dominio de sus respectivas disciplinas, se proponen precisamente formular un juicio estético. Aclaremos esto con un ejemplo cualquiera: el de la lingüística.

Una cosa es que un lingüista como Rafael Lapesa utilice los escritos de Rubén Darío para mostrar la renovación léxica y sintáctica en la *Historia de la lengua española* (estudio utilitario con el que la lingüística roza tangencialmente una obra literaria); otra que un lingüista como Tomás Navarro, en sus *Estudios de fonología española*, someta la «Sonatina» de Rubén Darío a un aparato quimográfico para inventariar sus sonidos (estudio parcial que la lingüística hace de una obra literaria); y otra que un lingüista como Raimundo Lida, en el prólogo a los *Cuentos completos* de Rubén Darío, exponga un juicio estético mediante la descripción de la originalidad de su habla (método lingüístico, estilístico, de la crítica literaria).

Y ahora, a nuestra clasificación.

Vamos a trifurcar la crítica según la atención preferente que se preste a cada una de las etapas en el proceso de la creación artística. Hemos dicho: según la atención preferente. Porque el crítico contempla la duración total, y en este sentido no hay una crítica de segmentos. Pero sí hay preferencias en explicar, describir o analizar ciertos momentos del decurso.

¿En qué consiste el proceso a que nos estamos refiriendo? Un escritor expresa una experiencia particular configurando las palabras de tal manera que evoquen en el lector una experiencia parecida a la original. Hay, pues, en ese proceso lingüístico que llamamos literatura.

a)   una actividad creadora;
b)   una obra creada; y
c)   una recreación de parte del lector.

Corresponde, a cada una de esas etapas, una manera de hacer crítica:

A)   Una crítica de la actividad creadora, que examina preferentemente todo lo relativo a la actividad del escritor. Explica la génesis de la literatura.

B)   Una crítica de la obra creada, que examina preferentemente la obra misma: lo que está ahí, lo que ella es. La describe de un modo objetivo, y

C)   Una crítica de la recreación, que examina preferentemente lo que el lector recibe de la obra: es decir, la relación obra-lector, no la relación escritor-obra.

Los críticos que explican los antecedentes de un fenómeno literario siguen los métodos histórico, sociológico o psicológico; los que analizan el texto mismo siguen los métodos temático, formalista o estilístico; los que representan el punto de vista del público siguen los métodos dogmático, impresionista o revisionista.

El examen de las etapas extremas del proceso —la génesis de una obra y la recepción que se le da— constituye la crítica externa. El examen de los tres elemen-

tos constructivos de una obra —tema, forma y estilo—
constituye la crítica interna.

Vamos a exponer esta trifurcación de la crítica en
secciones separadas.

A. LA ACTIVIDAD CREADORA

Dijimos: esta crítica examina preferentemente todo
lo relativo a la actividad del escritor. Explica la génesis de la literatura.

El escritor es una persona de carne y hueso, única
y original. Cuando se pone a escribir, toda su existencia —su yo enérgicamente comprometido con las cosas— lanza su programa de expresión desde las circunstancias en que le toca vivir. Circunstancias de su
época, de su país, de su lengua, de su sujeción social.
Para Jean-Paul Sartre (*Qu'est-ce que la littérature?*,
1948) la crítica consiste en comprender cómo cada escritor elige su manera de ser: oscilando entre abyec-
ciones y heroísmos, tomando posición ante su tiempo,
dirigiéndose a sus contemporáneos, asumiendo su responsabilidad de militante en el Reino de los Fines, el
escritor trasciende las condiciones que le rodean y
afirma su libertad en una literatura comprometida que,
en el fondo, es la realización del proyecto singular y
absoluto de su propia vida. No solo es el existencialismo el que plantea así el problema de la crítica literaria. Después de la segunda guerra mundial, en Francia, otros críticos, no muy alejados de Sartre, se
pusieron a describir y juzgar desde varias filosofías la
moral implícita en el escritor estudiado: Gaëtan Picon,
Pierre-Henri Simon, Maurice Nadeau, R. M. Albérès.
Todos los que celan la creación literaria vienen a preguntarse lo mismo: ¿en qué medida el valor de lo que
el escritor escriba participará de esa estructura histó-

rico-social-vital en la que él, el escritor, está articulado? A tal pregunta los críticos responden usando los métodos histórico, sociológico y psicológico.

1. *Método histórico*

En nuestro capítulo sobre las disciplinas que estudian la literatura dijimos que la historia civil y política podía utilizar un dato tomado de la literatura sin que eso significara apreciar la literatura; y que la historia de la literatura podía reconstruir todo un desenvolvimiento objetivo de la materia literaria sin juzgar estéticamente la creación individual. Ahora sí estamos frente a una crítica histórica de la obra particular. Gracias a las averiguaciones de la historia literaria y de la erudición histórica el crítico puede situar en el tiempo el preciso momento genesíaco de la obra.

Estamos, por ejemplo, frente a una obra remota. Sea *La Araucana* de Alonso de Ercilla. Es una serie de palabras escritas hace casi cuatro siglos. ¿Cómo esos viejos signos impresos sobre un papel podrán evocarnos lo que Ercilla vivió y expresó? Han cambiado ya las circunstancias. Ahora no entendemos muchas cosas. Se nos escapa aun el sentido de algunos versos. Y cuando somos capaces de penetrar en la lectura ¿no ocurrirá que nuestra experiencia sea desemejante a la original y, por tanto, *La Araucana* se convierta en una obra diferente, nueva cada vez que se la lee? No si conseguimos rehacer el camino de la historia, ubicarnos en Ercilla y leer sus palabras desde su tiempo. La historia y la filosofía devuelven al libro su energía primitiva; y, con esta inteligencia de lo que fue en 1569-89 y de todas las vicisitudes de su composición, hacemos que el libro obre sobre nosotros. En cierta medida somos Ercilla. Nos hemos situado en su punto de vista, en su momento creador, y nuestra fantasía no inventa una obra nueva sino que goza la obra que vamos a criticar. En otras palabras: que al recuperar, mediante la investigación histórica, las condiciones originales en las que fue creado un poema, el método histórico permite que sea posible recrearlo y, por tanto, juzgarlo. Claro que tal conocimiento histórico sería insuficiente si no se ejercitara también el gusto, la simpatía, la imaginación. El método histórico es, pues, un auxiliar para llegar al juicio crítico. (En cambio, en la historia de la literatura puede no haber ni gusto ni simpatía ni imaginación, puesto que ahí la investigación, extraña a la crítica, vale en sí.) El juicio, pues, es ahora posible. Juicio sobre el valor estético que es, en su núcleo germinativo, un juicio histórico. Así como en la historia de la filosofía, de la lengua, de los hechos civiles y políticos se afirma la efectividad con que, dentro de una serie de acontecimientos, nace una idea, una creencia religiosa, un modismo lingüístico, una institución o una guerra, el método histórico de la crítica afirma el nacimiento feliz de una obra bella. Hay historias de la literatura que no afirman valores, como hay críticas literarias en las que se afirma el valor sin ensartarlo en una historia. Pero el crítico historicista convierte el valor en un acaecer y así iguala la Estética con la Historia. Comprende la obra particular en un proceso; pero es la obra, no el proceso, lo que él juzga. Es como un hombre normal, que ama a una mujer, y no el eterno femenino que hay en todas las mujeres pero que nadie puede abrazar y besar. No busca un progreso fuera de la obra, sino el progreso que el escritor ha hecho, en un camino interior, para lograr la perfección de su obra. Sin duda este progreso hacia la perfección se da en la historia: Ercilla, Sor Juana Inés de la Cruz, Andrés Bello, Rubén Darío, Pablo Neruda se suceden en el tiempo; pero el crítico no ve un progreso encadenado de uno a otro, sino el progreso que, en sus respectivos momentos históricos, esos escritores hicieron dentro de su alma. El crítico historicista puede no intentar una historia lineal, con un único desenvolvimiento. Más: con frecuencia prefiere descomponer esa historia de un solo conjunto en una multiplicidad de monografías, cada una aislada de la otra. Pero colocará la obra en un contexto histórico, pues sabe que para juzgar *La Araucana* hay que considerarla antes, y no después, de *El Arauco domado* de Oña (y a ambos poemas, después del *Orlando furioso* de Ariosto). Sin recurrir a criterios extraños al de la Belleza, el crítico puede instaurar una jerarquía de obras y predeterminar estilos colectivos. El crítico, cuando sale de una obra concreta y mira vastos conjuntos, afianza sus juicios de valor en líneas ondulantes y sutiles que diferencian la literatura popular de la artística, o la literatura con predilecciones por el virtuosismo ornamental de la que equilibra forma y contenido en una expresión exquisita y normalmente humana. Si hace «crítica comparativa» será para comprender un fenómeno literario particular con la ayuda de fenómenos análogos que en otros países se dan en forma más completa y visible: si estudia el *Auto de los Reyes Magos* de la España del siglo XII o XIII, pongamos por caso, lo iluminará con el conocimiento del «misterio» medieval en Francia o en Italia. Cuando haga «crítica de fuentes» señalará los hilos que vinculan una obra con sus antecedentes, pero su interés estará en averiguar qué es lo que el escritor supo hacer con los préstamos recibidos. Empinará no solo grupos de escritores famosos, sino que nos dirá que la voz de tal «escritor representativo» habló por todos. Aunque al hacer todo esto recurra a los conceptos de la historia literaria (periodos, nacionalidades, escuelas, géneros, afinidades y contrastes) no los usará libremente, sino sujetos a la individualidad de cada obra. Las categorías que antes el historiador armaba abstractamente en el aire de su pensamiento, ahora aparecen en función del juicio de una obra concreta. ¿Qué hacían esos historiadores —en su mayoría alemanes— sino un círculo vicioso? De la lectura de ciertas obras deducían el «espíritu de una época» y en seguida se volvían sobre las mismas obras para redescubrirles el «Zeitgeist». Solo que, en ese metafísico quehacer, se olvidaban de decirnos si las obras estudiadas valían o no como arte. El «espíritu de la época» no explica por qué, en la misma encrucijada histórica, y aun en el mismo autor, una obra es buena y otra es mala. Ni siquiera avienta la paja del grano. ¿Cómo el vago conocimiento de una época ha de revelarnos la calidad de un poema si tampoco lo haría la biografía del mismo autor? En el mejor de los casos esos pensadores no hacían crítica, sino historia de las ideas o de las formas culturales. El método histórico maniobra de otra manera. Si el historiador nos daba una morfología de la cultura, hablándonos de «genios nacionales», de «estilos románico, gótico, renacentista, manerista, barroco, rococó, neoclásico, romántico», de «generaciones», de la «estirpe de un pueblo», etc., ahora el crítico usará de esos términos —si le viene en gana— como ventanas para asomarse al interior de una obra, como lámparas para iluminarla. O formará otros conceptos, como esos de «morada vital» y «vividura» con que Américo Castro mira por dentro y por fuera la literatura española. Vamos a demorarnos en Américo Castro, que pertenece a la escuela española de crítica histórica iniciada por Menéndez Pelayo y perfeccionada por los trabajos de Ramón Menéndez Pidal, sus discípulos y los discípulos de sus discípulos. A partir de *El pensamiento de Cervantes*, 1925 —que renovó los estudios cervantinos— Castro se colocó en la primera fila de los humanistas europeos. Pero no se quedó allí. Rectificó sus propios puntos de vista y en 1948 asombró con una nueva interpretación de la cultura hispánica: *España en su Historia*. Esta interpretación —revisada, ampliada y completada en reediciones y libros sucesivos— es una de las contribuciones importantes a la historiología. Castro describe a España como a una persona cuyas funciones están articuladas en una dinámica estructura histórica. Cada nación tiene su «morada vital», su «vividura». No se trata de la vieja «psicología de los pueblos» ni de la idea positivista de una España determinada por factores externos, sino de la comprensión de la existencia personal de España. España, persona nacida en el siglo VIII en conflicto con moros y judíos, se lanza hacia un horizonte de posibilidades para cumplir con un programa enérgico. España se va haciendo a sí misma, no tanto con el ejercicio intelectual, sino con la fuerza entusiasta y apasionada de la creencia. La intuición de la Historia de Américo Castro vale en sí misma, como tal; pero como nace de una íntima familiaridad con los monumentos de la literatura española nos ha dado, además de una teoría y un método de la comprensión histórica, una crítica. Los análisis que ha hecho Castro de textos hispánicos son agudísimos. Ha renovado radicalmente la evaluación de las obras clásicas y los modos de describirlos. En suma, que Castro extrae de la vida de España ciertas estructuras espirituales objetivas, y a las obras literarias, articuladas allí, las ausculta como enérgicos programas existenciales e históricos. El método para seguir a ese pueblo-personaje que llamamos «España» es el mismo que le sirve para seguir a Don Quijote. La historia como novela, la novela como historia. La crítica es una comprensión de las constantes interfuncionales entre una obra y un pueblo: «a través de la expresión literaria y del lenguaje puede llegarse a delinear la marcha íntima del vivir hispano, es decir, a percibir algo de la preferente dirección por donde ha discurrido su hacer vital» [1]. Veamos a otros críticos

[1] Américo Castro, *La realidad histórica de España*, México, 1954.

historicistas. Erich Auerbach escoge una serie de textos significativos y mientras va desmontando las piezas de sus diversas técnicas para captar la realidad, nos ofrece una historia del realismo. O indaga, en la literatura medieval, la actitud del escritor hacia el público al que se dirige [2]. Karl Vossler consigue la resurrección de la vida de un poeta y de su tiempo partiendo de la fruición de las obras leídas [3]. Vossler, Curtius, Auerbach hacen historia desde la filosofía; y en esa corriente alemana de la *Geistesgeschichte* confluyó Leo Spitzer, por lo menos en sus últimas obras. En Francia, Marcel Raymond, en *De Baudelaire au Surréalisme*, hizo historia, no investigando fuentes o influencias, sino partiendo de afinidades internas entre las obras.

En suma: que si ignoramos la historia desfiguraremos el sentido de los textos. El método histórico, no solo corrige los posibles errores de una lectura espontánea —lo cual sería un servicio empírico de poca monta—, sino que además devuelve a cada obra la vida y el color que tuvo al nacer. De este «historicismo» —la vida articulada en historia, la vida como creación de la historia, la vida como historia— Dilthey ha sido uno de los maestros más influyentes en la crítica contemporánea. Pero hubo otros: los más próximos a nuestra lengua, el italiano Croce, el español Ortega y Gasset. Gracias a la educación histórica podemos gozar de la literatura de diferentes periodos y civilizaciones. Es como si fuéramos completando nuestro disfrute del gran legado literario con sucesivas perspectivas. No es que el valor de las obras sea tan relativo que tanto valga el *Don Quijote* de Cervantes como

[2] Erich Auerbach, *Mimesis: Dargestellte Wirklichkeit in der Abendländischen Literatur*, 1942 (Traducción: *Mimesis: la realidad en la literatura*, México, 1946); *Literatursprache und Publikum in der lat. Spätantike und im Mittelalter*, Berna, 1958 (Traducción: *Lingua letteraria e pubblico*, Milano, 1960).

[3] Karl Vossler, *Lope de Vega y su tiempo*, Madrid, 1933.

el *Don Quijote* de Juan Montalvo, sino que captamos el valor precisamente por la relatividad de las perspectivas históricas. Relatividad, no necesariamente subjetividad. La conciencia de que la existencia humana es una hebra de tiempo que se urde en una trama de historia nos despierta el deseo de espiar las obras literarias desde múltiples puntos de vista, y así la visión del valor es más redonda y espléndida. Además, el método histórico nos enseña a juzgar porque extrae de obras concretas, no de un abstracto olimpo de autoridades absolutas, las categorías necesarias para distinguir los peculiares fenómenos del arte, fenómenos cambiantes como la historia misma.

2. *Método sociológico*

Si la sociología literaria estudia las formas de la acción recíproca entre todas las personas que intervienen en el mundo de la literatura, la crítica sociológica explica específicamente cómo el escribir es un acto de naturaleza social.

De la filosofía de cada crítico dependerá que presente la sociedad como determinante o como concomitante del valor de una creación poética. En el primer caso, la obra deriva necesariamente de la sociedad. En el segundo el valor puede surgir en la sociedad menos propicia o, al revés, no surgir donde sí se esperaba; pero, cuando surge, se reviste socialmente. En ambos casos, el método sociológico examinará las huellas de la comunidad en el valor estético, y hasta encarecerá el mérito que tiene un escritor por haber transparentado tan bien las nervaduras sociales. El método sociológico ve la literatura entramada en la sociedad; y a la sociedad puede tantearla en tres planos. Primero, la sociedad real de donde surge el escritor y desde la que produce su obra. Segundo, la sociedad, idealmente reflejada dentro de la obra misma. Y por último, si se trata de literatura costumbrista, política, satírica o moralizadora, el programa de reforma social de la obra. Por ejemplo: puesto a espulgar el *Martín Fierro* de José Hernández el crítico sociológico podría: 1) bosquejar la extracción social de Hernández, nacido en hogar patricio y de simpatía hacia la causa «federal», criado en años de violencia política, instruido en las duras faenas rurales, revolucionario, militar, funcionario, periodista enemigo de los presidentes Mitre y Sarmiento y amigo, después, del presidente Avellaneda; 2) observar cómo se traban, en medio de las tensiones entre la ciudad y el campo, entre Buenos Aires y el resto del país, las vidas de Martín Fierro, Cruz, Vizcacha, el Hijo Mayor, Picardía y otros; y 3) calar, en 1872 («Ida») y en 1879 («Vuelta») las actitudes políticas, pedagógicas y moralizantes de Hernández [4].

El método sociológico busca el común denominador: el escritor tiene de común con los hombres su condición social; la experiencia que expresa es compartida con otros hombres; el contenido de su obra se basa en la observación de la conducta humana; la obra misma repercutirá en la conciencia social de los lectores y será representativa de su género... Esta busca del común denominador hace que el método suela absorberse en lo obvio de la literatura. Para disculpar el poco fruto que dieron las primeras tentativas de estética sociológica recordemos —con Roger Bastide, *Arte y Sociedad*— que «la sociología propiamente dicha todavía no existía».

Ejemplos del método sociológico aplicados por críticos de formación marxista podrían citarse a montones, sobre todo en Rusia, donde tiene casi fuerza ofi-

---

[4] Ezequiel Martínez Estrada, en *Muerte y transfiguración de Martín Fierro* (México, 1942, 2 vols.), sin excluir otros métodos, ha fondeado magistralmente en la sociología del poema.

cial. Ya se sabe que la escuela marxista acabó por suprimir en Rusia, allá por el año 1930, la escuela «formalista» que, originada en 1915-16, había alcanzado su apogeo poco después de 1920. Más que practicar una crítica se impuso la doctrina del «realismo socialista»: o sea, que el escritor, al reproducir fielmente la realidad, debe mostrar la estructura social e indicar las líneas de fuerza del partido comunista. Para ello, la crítica marxista, por lo menos en la Rusia de los años anteriores a la segunda guerra mundial, insistía en la evaluación de los personajes como héroes morales. Georgi Malenkov, por ejemplo, creía que el concepto de «tipo», humano y social, era «la manifestación básica del espíritu partidario en arte: el problema del tipo es siempre un problema político». Después de la segunda guerra mundial la crítica marxista rusa, en su afán didáctico, se hizo nacionalista. No nos convence de su bondad la crítica marxista tal como la ha expuesto A. Ievgorov, *Arte y sociedad*, 1961. Acaso el más alto índice de crítica marxista sea el de Georg Lukács, húngaro que escribe generalmente en alemán. La literatura, para él, es un fenómeno histórico que tiene sus raíces en la lucha de clases. El crítico debe hallar la ley que explique la necesaria relación entre sociedad y arte; debe señalar el camino de la raíz a la flor. El régimen capitalista ha destruido la unidad y plenitud de la vida humana —que es un todo individual y social— y la misión del comunismo es restituir la completa personalidad del hombre dentro del progreso político hacia la justicia. Al tomarles la medida a los grandes novelistas del siglo XIX Lukács nos dirá que son jalones en esa batalla ideológica. Desde la formación de la sociedad burguesa el individuo y la comunidad parecen separarse. Y la novela —género burgués— se orienta hacia dos falsos extremos: por un lado, una descripción idealista, esteticista, de las caóticas cerebraciones de vidas privadas que solo existen en el papel (James Joyce); por otro lado, una descripción naturalista que por exagerar la base biológica y mecánica de la sociedad termina por empobrecer la realidad con tesis y fórmulas meramente abstractas (Upton Sinclair). La verdadera literatura es la realista, que nos presenta en forma de «tipos» la soldadura orgánica entre el hombre y el desarrollo histórico-social (Balzac, Tolstoi y los novelistas soviéticos como Sholokhov). Sépanlo o no, los novelistas realistas están comprometidos con las luchas de su tiempo, y sus obras son tanto documentos del curso histórico como guías para el progreso político. A veces hay en un novelista un conflicto entre su personal concepción de la vida social y su voluntad artística de pintar la realidad tal como la ve (por ejemplo, el conflicto entre las convenciones y prejuicios reaccionarios de Balzac y la vigorosa sinceridad con que Balzac denunció la decadencia del régimen social de su época). En otros casos, el crítico debe enjuiciar, no las intenciones del novelista, sino el cuadro social que presenta efectivamente. Si este cuadro contradice o no el punto de vista político del novelista, es una cuestión secundaria. El método sociológico fisgonea la novela como una entidad donde los caracteres y las situaciones están determinados necesariamente por la dialéctica materialista de la historia. «Es un método muy simple —dice Lukács—: consiste, primero de todo, en examinar cuidadosamente los reales cimientos sociales sobre los que, digamos, la existencia de Tolstoi se basó, y las reales fuerzas sociales bajo cuya influencia la personalidad humana y literaria de Tolstoi se desarrolló. En segundo término, y en estrecha relación con lo anterior, el crítico se pregunta: ¿qué representan las obras de Tolstoi? ¿cuál es su verdadero contenido espiritual e intelectual y cómo hace el autor para construir sus formas estéticas en la brega por una expresión adecuada a tal contenido? Solamente si, después de un examen desprejuiciado, hemos descubierto y comprendido esas relaciones, estamos en condiciones de suministrar una interpretación correcta de los puntos de vista conscientes expresados por el autor y de evaluar correctamente su influencia sobre la marcha de la literatura» [5]. Es palmario que en el fondo a Lukács le tira más la sociedad que la literatura; y la política más que el estudio de la sociedad. Otro crítico importante, en el marxismo de hoy, es el italiano Galvano Della Volpe, autor de *Crítica del gusto,* 1960. Es un profesor universitario que, reaccionando contra la estética idealista de Croce y dejando de lado las explicaciones y preceptivas de los comunistas sectarios, ha estudiado especialmente las estructuras poéticas desde el punto de vista del materialismo histórico.

De la crítica marxista hay algunos postulados que pueden aceptarse más fácilmente que otros. Por ejemplo: el nada sorprendente postulado de que la obra no es un aerolito caído accidentalmente sobre los hombres, sino la creación de hombres en una sociedad determinada por muchos factores, desde los económicos hasta los ideológicos, y en una etapa muy precisa de la evolución histórica. También puede aceptarse, con relativa facilidad, el postulado de que la obra no es un mero reflejo de la sociedad, sino que surge con fines propios, agita el ánimo de los lectores y en este sentido contribuye a transformar la sociedad. Y aun es aceptable el postulado de que toda obra, por implicar una visión del mundo, más colectiva que individual, tiene una significación más trascendente que la de su mero contenido verbal: si es posible homologar la estructura artística y la estructura social es porque en

---

[5] George Lukács, *Studies in European Realism,* London, 1950. Pese a su marxismo, Lukács fue amonestado por el Partido Comunista: no era lo bastante dogmático, no servía lo bastante las necesidades políticas de Rusia. Para el punto de vista marxista ortodoxo en crítica literaria sociológica véase Jozsef Révai, *Lukács and socialist realism,* London, 1950.

último análisis la obra es el microcosmos artístico de
un macrocosmos social... Pero ya no es tan fácil acep-
tar la teoría de los valores de los críticos marxistas que
creen que una obra es buena o mala según que concu-
rra a la emancipación política de las clases oprimidas
con llamados a una lucha inteligente y optimista o que,
al contrario, paralice la acción social con actitudes irracionales, negativas y decadentes, especializadas en la
idea de una absurda «nada» o de un «todo» religiosa-
mente conformista y estático. A los escritores que, a
pesar de su indudable talento y de la excelencia de sus
escritos, se han negado a extender a toda su obra la
conciencia de la ley del progreso social, la crítica marxista los hace responsables por lo que no dicen: si el
tema social o la ideología revolucionaria están ausentes de tal obra, es porque se le han «escapado» al autor, y entonces hay que denunciar, como valores nega-
tivos, la falta de lucidez, la superficialidad en el modo
de describir la dinámica social y la incapacidad en el
manejo de los recursos artísticos que la sociedad ha
puesto a su alcance, precisamente para que los use
como debe. Se gastiga así al escritor por valores que
desconoce y no se le quiere premiar por los valores que
sí conoce.

Levin L. Schücking, en su sociología de la formación del gusto literario, cree que la crítica, para justipreciar el valor estético, no debe escrutar la obra, sino
su efecto sobre el público. «El único criterio —dice—
para valorar un arte que ha logrado imponerse es la
duración de su efecto.» «Una obra que ha logrado mantener su reputación a lo largo de muchas generaciones
tiene que haber pasado de un tipo (social) que encarna
el gusto a otro. Puesto que ha podido ofrecer algo a
grupos de temples psíquicos tan diversos como son los
que se suceden en la dirección del gusto al correr de
los siglos, la obra ha mostrado poseer valores capaces

Enrique Anderson Imbert

de sobrepasar una época determinada» [6]. Si este criterio de evaluación sociológica fuera el «único», como dice Schücking, quedaría desalojada de la crítica la literatura contemporánea, siendo que nadie puede prever la aceptación que le darán los cambiantes grupos sociales del futuro. Y, en el fondo ¿no queda destituida la función estimativa de la crítica? Cuando después de subrayarse en rojo el estudio del origen social y del efecto social de la literatura se pregona que la última opinión sobre una obra es la que ha de dar el Tiempo ¿no se está negando a la crítica la razón de su existencia, que es formular un juicio?

Al estudiar las relaciones entre sociedad y literatura puede ponerse el acento en la sociedad o en la literatura. Lo pone en la sociedad Robert Escarpit —*Sociologie de la littérature*, Paris, 1958— en su planteo del fenómeno literario: la producción (el escritor, su medio y los problemas de la expresión); la distribución (edición, venta y crítica de la obra); y el consumo (significación social de la lectura por un público inmediato). Más finos son los planteos de la sociología del conocimento que, constituida por aportes de Max Weber, Karl Mannheim, Max Scheler, Georg Simmel, Ernst Cassirer y otros, analiza las correlaciones entre las formas de convivencia social y las ideologías, concepciones del mundo, gustos, estilos, etc. Una obra capital, en esta línea de trabajo, es la de Arnold Hauser, *The Social History of Art*, 1951, donde aplica también a la literatura, y de un modo sistemático, la teoría de las ideologías, el esquema de las clases sociales y la caracterización de los movimientos históricos culminantes.

[6] Levin L. Schücking, *El gusto literario*, México, 1950.

3. *Método psicológico*

La historia, la sociedad, la lengua operan, concretamente, en un hombre de carne y hueso. El método psicológico consiste en comprender a ese hombre.

Un sofista podría reducirlo al absurdo. Oigamos sus argumentos, sabiendo que son sofísticos.

a) Supongamos que tomáramos al pie de la letra el método de Sainte-Beuve —«tel arbre, tel fruit»— y para explicar una obra partiéramos del conocimiento psicológico del autor. Es evidente que si el conocimiento del autor debe ser previo, queda automáticamente eliminada de la crítica toda obra anónima, de paternidad dudosa o producida por un hombre de quien sabemos poco.

b) Supongamos que la ciencia psicológica llegara a conocer a un hombre tan cabalmente que aún fuera capaz de predecir qué obra escribirá: ¿puede considerarse como crítica al juicio sobre una obra que se «lee» antes de que se haya escrito?

c) Supongamos que una máquina, en un tiempo indefinido, fuera imprimiendo los signos del alfabeto en todas sus posibilidades combinatorias. Es probable que acabara por darnos una obra, no solo legible, sino también disfrutable. A esta obra, hecha con mecanismos y sin intervención de una «psicología del autor» ¿no podríamos someterla al juicio crítico?

En otras palabras: que la finalidad de la crítica es la literatura, no la psicología; que la crítica no puede subsumirse en psicología; y que todo acecho de una obra como manifestación psicológica nos está dando una teoría de la personalidad humana, no una crítica literaria.

En vista de la dificultad que ofrece el estudio de la psicología del escritor, y de lo poco científico que sería conjeturar conexiones psicológicas entre un escri-

tor y su obra, I. A. Richards asevera que la psicología
del acto de leer está más próxima a la crítica que la
psicología del acto de escribir. Tal posición llevó a Richards a intentar una psicología del lector. Su punto de
partida había sido una teoría de las significaciones, y
allí está lo mejor de su pensamiento. Al avanzar hacia
una teoría de los efectos psíquicos de la poesía, ese pensamiento se hizo inservible para la crítica literaria: la
poesía —véase *Practical Criticism*— vale para ordenar
los impulsos nerviosos del lector. En cambio, Herbert
Dingle, en el libro ya citado, cree que la única posible
crítica científica sería la que, hurgoneando en una obra,
formulara hipótesis psicológicas sobre su autor. Veamos cómo procedería esta crítica psicológica con un
poeta: sea Juan Ramón Jiménez. Sus poemas son datos de los que hay que extraer, al modo de las ciencias,
ciertas características generales. Juan Ramón Jiménez
existe y sabemos de él lo bastante para componer una
biografía. Pero usar las evidencias biográficas para
explicar sus poemas sería tan poco científico como si
un astrónomo religioso, por creer que Dios existe, ex-
plicara el sistema solar como un designio divino para
beneficiar al hombre, en vez de sistematizar los movimientos de los cuerpos siderales mediante la fórmula
de una ley de gravitación universal. El crítico debe
leer los poemas y buscar un principio unificador. Cuando se topa con él, puede llamarle «Juan Ramón Jiménez». Pero este «Juan Ramón Jiménez» no es el mismo
Juan Ramón Jiménez de la biografía. Que el hombre Juan Ramón Jiménez coleccione estampillas puede
ser un hecho de su vida; pero este hecho no le sirve al
lector de la *Segunda antolojía poética*. El «Juan Ramón
Jiménez» cuya existencia asume el crítico es una hipótesis psicológica necesaria para comprender la creación sucesiva e intencional de sus poemas. Si el conocimiento de todas las peripecias biográficas nos
permitiera comprender la personalidad de un hombre,

y el conocimiento perfecto de esa personalidad nos permitiera comprender su obra, tendríamos una ciencia psicológica tan exacta como la astronomía; pero como no es así, es preferible ser buenos críticos a ser malos psicólogos. Y ser un buen crítico es caracterizar al hipotético «Juan Ramón Jiménez». A tal hipótesis psicológica hay que adscribirle solamente las características que expresen las cualidades esenciales de los poemas estudiados. No preferir, pues, un real Juan Ramón Jiménez al hipotético «Juan Ramón Jiménez». El «real» es inaprensible. El «hipotético», en cambio, se ha formado ante nuestra vista mientras cavilábamos en qué tipo humano sería capaz de producir la *Segunda antolojía poética* y *Platero y yo*. Así el crítico, en vez de explicar la poesía por la biografía del poeta, invierte el enfoque y, partiendo de la observación de la poesía, crea una idea de cómo debió de ser quien la produjo. Esta idea no nos permitirá deducir si Juan Ramón Jiménez tuvo o no una hermana; pero tampoco el biógrafo, que sí lo sabe, podrá pronosticar en 1950 qué obra escribirá Juan Ramón Jiménez en 1957. Después de todo la crítica se abisma en la obra, no en el hombre. Al erigir el hipotético «Juan Ramón Jiménez» se hace a la vez crítica y psicología. Crítica, porque se substraen de su poesía ciertos rasgos constantes; psicología, porque lo que se substraiga ha de corresponder a la naturaleza humana común. «El poeta hipotético —termina Dingle— es la única legítima contribución que la crítica puede hacer a la psicología individual del poeta efectivo.» Pero Dingle —aunque ha aplicado su método a Wordsworth, Swinburne y Browning— no es un crítico literario, sino un epistemólogo. Vayamos a la crítica de los críticos, pues, para ver cómo se emplea allí el método psicológico.

Una de las provincias de esa crítica está constituida por estudios sobre la organización de la sensibilidad de un escritor, sobre su «tipo» psicológico, sobre los estímulos que más le sacuden el ánimo, sobre sus motivos conscientes o subconscientes, sobre sus preferencias mentales y su modo de concebir y de expresarse. Pero hay que diferenciar cuidadosamente entre la utilización de la literatura que hacen los psicólogos para explorar las estructuras anímicas en general, y el método crítico que, interesado primordialmente en la literatura, se sirve de la psicología para aquilatarla mejor. Para el psicólogo Jung, pongamos por caso, la literatura es una de las tantas manifestaciones del acaecimiento psíquico y como tal la psicología se propone escudriñar por un lado la formación de una obra artística y por otro los factores que hacen que una persona sea artísticamente creadora. «Hay una fundamental disparidad de enfoque —dice— entre el examen que el psicólogo y el crítico hacen de la literatura. Lo que es de importancia y valor decisivos para el crítico puede ser insignificante para el psicólogo. Productos literarios de muy dudoso mérito a menudo ofrecen un gran interés al psicólogo» [7]. La llamada «novela psicológica» no es, desde ningún punto de vista, tan seductora para el psicólogo como el crítico podría suponer, sigue Jung. Considerada en su conjunto, la novela psicológica se explica a sí misma. Ya el novelista ha hecho su propio trabajo de interpretación y, por tanto, al psicólogo sólo le queda amplificarla. Las novelas más atractivas para el psicólogo son esas donde el autor no ha interpretado los móviles de sus caracteres; hay lugar, pues, para el análisis psicológico aunque sean las aventuras de Sherlock Holmes urdidas por Conan Doyle. En los ejemplos de literatura superior encontramos lo mismo: en la primera parte del *Fausto* Goethe saca sus materiales de la normal conciencia humana y explica satisfactoriamente el trágico amor de Margarita; en la segunda parte, por el contrario, la prodigiosa ri-

[7] Carl Gustav Jung, «Psicología y poesía» (en *Filosofía de la ciencia literaria*, editado por E. Ermatinger).

queza visionaria sobrepasa con tal abundancia el poder formativo de Goethe que se necesitan los servicios del psicólogo. Pero, naturalmente, el psicólogo no hace crítica literaria: puede comprender una obra hasta llegar al fondo donde está el «inconsciente colectivo» —esto es, la disposición psíquica modelada por la fuerza de la herencia—, pero no le concierne su valor artístico. De la misma manera el psicólogo puede comprender la neurosis del poeta, sus rasgos narcisistas, sus egoísmos, resentimientos, vicios y otras deficiencias con las que debe pagar el alto precio de su genio creador, pero ponderar el valor, no de la persona, sino del poeta, escapa a la ciencia psicológica.

La vida de un hombre es como una melodía; y la literatura que ese hombre produzca son variaciones de su melodía profunda. Al tema de una obra, por ser vital, lo encontraremos también en la vida de su autor. El conocimiento psicológico del hombre nos permite apreciar mejor su obra. No hay duda, pues, que la biografía es muy útil. La biografía es muy útil por cuanto nos da noticias relativas a la vida privada y pública de un escritor. Pero una cosa es la biografía como género literario o como contribución a la historia y otra el método psicológico. La muerte de José Martí en Dos Ríos pertenece a la historia del heroísmo; solo *Ismaelillo* pertenece a la historia de la poesía. Para la crítica no interesa sino lo que irrumpe efectivamente en el prurito creador. El temperamento, las aventuras amorosas, los hábitos, los antecedentes familiares, los accidentes y las anécdotas en un curso vital, el modo de ganarse la vida, la actividad política, los sueños o pesadillas cuando se duerme o las fantasías del soñar despierto, todo, en fin, puede y no puede entrar en la crítica: depende de que, antes, esas cosas hayan entrado o no en la gestación artística. ¿Cómo saberlo? Aquí está el especial riesgo de este método y la delicadeza del crítico para no caer en gro-

serías de interpretación. Dejando de lado a los psicólogos profesionales —quienes utilizan la literatura sin
estudiarla en sí, como Freud, Jung y otros— hay críticos, de educación psicológica o con aficiones a la
psicología, que asaltan la obra con prejuicios. Psicoanalistas, «behavioristas», partidarios de la «Gestalttheorie» o de las observaciones de Jaensch sobre las
disposiciones «eidéticas», etc., demandan a la obra la
confirmación de sus métodos de sonsacar el alma de
los escritores. Si los personajes de una obra —dicen—
se comportan de un modo ya estudiado por la psicología, son una prueba de la comprensión del autor: Shakespeare no supo nada de psicoanálisis, pero puesto
que el psicoanalista de hoy puede tratar a las criaturas shakespearianas como si fueran vivas, quiere decir
que esas criaturas son «artísticamente vivas». Porque
Hamlet «vive» es que el doctor Ernest Jones [8] ha podido
encontrarle un «complejo de Edipo». Sin contar que
las obras, por ser fragmentos de una confesión personal, pueden ser acostadas en un diván, como pacientes,
y diagnosticadas. Se usan los métodos psicológicos
para bucear en la obra, y las obras para bucear en la
personalidad neurótica del autor... Personajes que estaban individualizados en un drama o en una novela se
derriten en un crisol que los moldea en tipos, meras
generalizaciones sobre la naturaleza humana. La vocación creadora del escritor queda simplificada: para
unos psicoanalistas el escritor, gracias al arte, da sali-
da a sus deseos reprimidos; para otros, por el contrario, el escritor se reprime aún más, encerrándose en
sus símbolos [9]. Como los marxistas, los psicoanalistas

[8] Ernest Jones, *Hamlet and Oedipus*, New York, 1949.
[9] Edmund Bergler, *The Writer and Psychoanalysis*, New York, 1950,
cree que todo hombre está obsesionado por pechos de mujer; y el escritor se defiende de ese complejo identificando subconscientemente la
leche que alguna vez la madre le retiró al negarle sus pechos y la tinta
con que él va derramando palabras sobre el papel. Escribimos con
leche.

intentan desenmascarar la literatura y mostrar el almacén de fenómenos subconscientes que el autor (o los personajes literarios) guardan en oscuros sótanos. El mismo Freud sacó de una tragedia de Sófocles el nombre del «complejo de Edipo» y luego lo usó para *Hamlet* y *Los hermanos Karamazov*. Sus discípulos han ido más lejos. Todo artista es un neurótico a quien su actividad creadora, si bien no lo cura, por lo menos impide que empeore. Lo social de mucha literatura fantástica consiste, paradójicamente, en el escape de la sociedad soñado por esos neuróticos. En el sondeo de lo sexual los críticos literarios diplomados en psicoanálisis suelen violar la integridad —y, lo que es peor, la significación— de las obras de arte. Los psicoanalistas no parecen estar convencidos de que tal escritor escribió tal obra; en todo caso, que ese escritor escribió, no lo que quería, sino lo que «algo» le dictaba desde profundas cavernas. Una obra es tanto más rica y significativa cuanto más aspectos nos revela de estados anímicos que el autor mismo no quería mostrar o no sabía que existían.

Estos métodos psicológicos son arriesgadísimos sobre todo cuando quieren zambullirse en escritores no modernos [10]. «Complejos» y «represiones» los ha habido siempre en la vida humana; pero los escritores

[10] Véase Leo Spitzer, «Sobre las ideas de Américo Castro a propósito de *El villano del Danubio* de Antonio de Guevara» (en el *Boletín del Instituto Caro y Cuervo*, Bogotá, enero-abril de 1950, año VI, núm. 1). En una de las notas a «Lingüística e Historia literaria» Spitzer insiste en observaciones parecidas, ahora a propósito del método de Kenneth Burke —*Philosophy of Literary Form*, 1940— de buscar las «asociaciones emocionales» que operan como formas constantes en una obra. «Este método —dice— es aplicable a aquellos poetas que revelan de hecho tales asociaciones emocionales, es decir, solamente a aquellos poetas que dejan transparentar en sus escritos sus fobias y sus idiosincrasias. Ya hay que excluir a todos los escritores anteriores al siglo XVIII, época en que se descubrió y aplicó la teoría del 'genio original'. Es muy difícil descubrir, antes de esta centuria, en ningún escritor asociaciones 'individuales', es decir, asociaciones no motivadas por una tradición literaria».

del pasado, sujetos a un arte de escribir reflexivo y tradicional, no los vertían directamente en su estilo. El método psicoanalítico, que puede ser válido para Joyce o para Proust, no lo es para Rabelais o para Fray Antonio de Guevara. En la literatura no moderna había más bien moldes preparados por la tradición literaria, y los grandes escritores no dejaban transparentar su subconsciencia. El estudio de la cohesión psicológica en todo lo que el escritor escribe, de los «complejos» que colorean cada página, de las asociaciones emocionales, las euforias, fobias y frustraciones, etc., es más fácil en la literatura moderna, cultivada por quienes, desde el siglo XVIII, han sido llamados «genios originales»: solo desde entonces (digamos, desde Diderot) la sensibilidad de los autores se emancipa de los cánones tradicionales y se labra un estilo personal. Y en los siglos XIX y XX invaden la literatura la neurosis, el balbuceo, la paranoia, las confesiones íntimas, los resentimientos, el desnudo fluir del alma, los oscuros símbolos de impulsos reprimidos, etc. Pero aun en la literatura moderna el método psicológico es peligroso. John Livingstone Lowes, autor de un brillante análisis psicológico de Coleridge [11], ha denunciado las fallas científicas de algunos analistas de la escuela de Freud a propósito de la interpretación que uno de ellos, Robert Graves, hizo del «Kubla Khan». Tal poema no es un sueño sino, en palabras de Coleridge, «una visión en un sueño»; y ciertas configuraciones aparentemente subconscientes del poema salen más de un fondo de lecturas (las del *Paradise Lost* de Milton, por ejemplo) que del fondo de la subconsciencia. ¿No es también excesivo William Empson [12] cuando, siguiendo a Freud, busca y rebusca en *Alicia en el País de las Maravillas* hasta tergiversar ese cuento in-

---

[11] John Livingstone Lowes, *The road to Xanadu. A study in the ways of imagination*, Boston, 1927.
[12] William Empson, *Some versions of Pastoral*, 1935.

fantil con símbolos sexuales que revelarían una aberración de su autor, Lewis Carroll? Herbert Read ha propuesto que el psicoanálisis y la crítica, tirando en yunta, allanen la obra literaria, bien entendido que lo que cuadra es la obra como producto de un proceso anímico, y no el proceso productor en sí. Admite las dificultades y torpezas de ese método; por eso, sin duda, al hacer crítica Read no lo ha aplicado (con la excepción de un estudio sobre Wordsworth, en que partió de la poesía para explicar la vida del poeta) [13]. Albert Béguin, en *L'âme romantique et le rêve*, estudió la función del subconsciente en la creación artística, pero rechazó los métodos explicativos del psicoanálisis.

Un poema no es la proyección espontánea de la vida psicológica del poeta. Hay, sí, una marejada de sentimientos. Es como si, sopladas por un ventarrón, las olas pujaran por arrancarse de sí mismas, dejar de ser olas y hacerse embarcaciones. El poeta, que se está mirando y remirando, asiente a esa disposición de su vivir y decide darle coherencia. El sentido poético pone en mágica tensión a las espumas, y de allí emergen, venusinamente, diosas de admirables cuerpos, embarcadas en cristales. Ahora tenemos naves consistentes, con cuajos de luz, con facetas de diamante, tripuladas por preciosas vidas que nos cantan y nos convidan al abordaje. Todo salió de la marejada del ánimo, pero ya no es un batir del ánimo, sino una armada que surca por encima, y se va contoneando con sus altos mástiles. ¿Qué ha pasado? El poeta se autocontempló y así su psicología ascendió a un nuevo plano espiritual. Fue amo, no esclavo de sus pasiones. Es decir, no se quedó en sentimental, sino que transformó en símbolos los contenidos del sentimiento. Triunfo intelectual. Liberadas de su carga material, las pasiones son ahora imágenes estéticas. Lo subjetivo se objetivó de acuer-

---

[13] Herbert Read, «The nature of criticism» (en *The nature of literature*, New York, 1956).

do con un diseño de arte. Justamente en el trance de
la inspiración termina el vagar psíquico y empieza la
talladura artística. El crítico debe comprender ese proceso y sentirlo así, como espíritu objetivado, no como
cruda psicología. Reducir la obra a rasgos afectivos es
despreciar, injustamente, su orden, su construcción,
su unidad. El autor tenía, sin duda, un temperamento:
su obra, en cambio, no tiene «temperamento», en el
sentido que la psicología da a tal término [14]. Está bien
colegir los estados de ánimo del escritor, pero la crítica no puede pararse ahí. De lo contrario, la obra se
disolvería en la psicología de un hombre y por tanto
no habría crítica. Es verdad que la literatura es, esencialmente, la experiencia del escritor, y que la lectura
nos transporta a esa experiencia inicial. El método psicológico, pues, curioseará en todas las evidencias que
pueda recoger sobre la intimidad del autor: sus confidencias, cartas, diarios personales, reportajes periodís-
ticos, declaraciones autobiográficas, manifiestos estéticos, etc.; y también en lo que podamos observar directamente en sus obras, en los manuscritos, en las
variantes, en los testimonios de quienes estuvieron pre-
sentes en el momento de la creación. Pero no basta.
La comprensión psicológica del escritor es circular, es
decir, rodea al escritor y a su obra y de allí no se escapa. Se llega a los fondos del escritor mediante la lectura de sus páginas, y en seguida (o simultáneamente) se
interpretan sus páginas como sublimación de esa interna personalidad. No es capricho: esa intuición, esa
interpretación se basan en un riguroso y completo es-
cudriñamiento. Querer explicar la obra por la biogra-

[14] Ernst Cassirer, *An essay on Man: an Introduction to a Philosophy of Human Culture*, 1944 (Traducción: *Antropología filosófica*, México, 1945); *The Philosophy of Symbolic Forms*, New Haven, 1953.
Suzanne Langer, *Philosophy in a new key*, New York, 1942; *Feeling and
Form*, New York, 1953; *The Philosophy of Emotion*. Amado Alonso,
los tres primeros ensayos de *Materia y forma en poesía*, Madrid, 1955.

fía externa sí es caprichoso. Lo que cuenta es describir una real estructura anímica. Ernst Robert Curtius, por ejemplo, capta intuitivamente los pliegues anímicos del escritor (sea Balzac o Proust) y una vez identificado con él puede pasearse por la galería de sus obras, mirar sus revestimientos y aun asomarse al mundo desde sus ventanas. «La verdadera crítica —dice Curtius en el capítulo 'la labor del crítico' de su *Marcel Proust*— tiende a descubrir los elementos formales del alma de un autor, no sus opiniones ni sus sentimientos. Esta clase de crítica no se aprende. Porque los rasgos peculiares en que se funda no pueden buscarse, sino que deben deslumbrarnos súbitamente. El don crítico no es más que la capacidad de ser sensible a ellos.» El retorno de frases emparentadas nos hace sospechar que hay una secreta causalidad; si reunimos los rasgos singulares, los contemplamos y meditamos sobre todos ellos, nos prepararemos para la intuición del espíritu del autor, para el alumbramiento de lo que es «energía» en Balzac o «conocimiento» en Proust. Pedro Salinas ha hecho con Rubén Darío una crítica semejante, de intuición psicológica y de rigor en el tratamiento estilístico de sus temas eróticos obsesionantes (véase nuestra reseña en *Nueva Revista de Filología Hispánica*, México, enero-marzo de 1949, año III, número 1).

La biografía debe ajustarse a la obra, de tal manera que si alguien ha escrito una sola, la caracterización del escritor ha de ser la que coincida con la caracterización de esa obra única; y todo lo demás podrá ser biografía, pero no es crítica. El método no procede causalmente, sino comprensivamente. Es decir, no parte de una causa (el hombre real Shakespeare) para explicar una obra. Puede ignorar quién era el hombre Shakespeare. Por eso es posible aplicar el método psicológico a obras anónimas. Y aun esculcar psicológicamente, como si fueran anónimas, obras de autor conocido. Se recordará la justa queja de Américo Castro a propósito del uso que se ha hecho de las biografías de Shakespeare y Cervantes para juzgar sus respectivas obras. No estamos seguros que Shakespeare fuera el autor de las obras que se le adjudican. Lo poco que sabemos de él no nos impide, pues, que tomemos en serio su teatro. ¿Que Shakespeare fue un bufón plebeyo o iletrado? No importa: ahí están *Hamlet, Macbeth, King Lear.* Honrémolas por si acaso resulta que las escribió un genio, todavía desconocido. En cambio Cervantes ha sido víctima de una pesquisa biográfica de cabo a rabo. Cervantes, hombre humilde, pergeñó sin sombra de dudas *Don Quijote...* Consecuencia: durante siglos hubo académicos que se negaron a respetar la obra de un «ingenio lego».

Los datos biográficos pueden servir para comprender el sentido de un texto. Leemos ahí una anécdota. No está clara la relación entre el texto y la anécdota. Gracias al biógrafo se saca a luz esa relación. También gracias al biógrafo se saca a luz la diferencia o la semejanza entre un escritor y sus contemporáneos. El sonsacamiento de lo que ocurre en la mente del autor cuando concibe su obra es de veras crítica literaria solamente si nos guía para reconocer calidades estéticas. Los psicólogos nunca han podido distinguir la menor diferencia entre los procesos mentales que dan nacimiento al primor o al mamarracho: la crítica es la que subordina todas las posibles observaciones psicológicas a la caracterización de la belleza de una obra.

Aunque ellos no lo admitan, caben en la crítica psicológica los que reciben de la obra efluvios misteriosos. Paul Valéry, que fue quien la lanzó en 1920, no hipostasió la expresión «poésie pure»; el abate Henri Brémond, en cambio, la entendía como una realidad absoluta, sobrenatural, inefable que por irradiación se insinuaba en los escritos de los poetas [15]. Como los místicos se sienten anegados en Dios, así los poetas reciben el misterio de esa especie pura que es la poesía. Aunque el planteo es metafísico, la descripción del fenómeno no puede menos de ser psicológica. Psicología de la creación por el poeta, psicología de la creación por el lector. La esencia de la poesía puede alquitararse solamente mediante la observación de sus efectos sobre el poeta y sobre el lector. La crítica, pues, es una exploración de la zona profunda del alma, en busca de la metafísica poesía. Ni siquiera exploración, pues la poesía pura, como una corriente eléctrica que pasa por el poema, nos electriza aun antes de que lo comprendamos. Porque no importa comprender el significado del poema: ni siquiera es necesario leerlo completo. «Tres o cuatro versos, hallados al azar de la página abierta, con frecuencia algunos jirones de verso, bastan...» Así opina Brémond. Por su parte, Maurice Blanchot indaga, en sus críticas, el acto mismo de escribir. Más que explicar una obra, acompaña al autor mientras la está concibiendo. No se queda en el texto, sino que quiere comprender el pasaje del silencio a la palabra y cómo la palabra del texto sigue, secretamente, guardando silencio.

Transición

Y ahora que nos estamos despidiendo de esta crítica de la actividad creadora para pasar a la crítica de la obra creada, echemos una última mirada hacia atrás: historia, sociología, psicología ¿no las vemos soldadas en una sola pieza? Más aún: cuando se extrae de una obra concreta la armazón mental del escritor, con sus

---

[15] Henri Brémond, *La Poésie Pure*, Paris, 1926. En el mismo volumen hay aclaraciones de Robert de Souza. El debate sobre la poesía pura se libró en Francia de 1925 a 1930.

apoyaturas en la sociedad y en la historia, no siempre
se está mostrando causas que vienen del pasado —esto
es, la génesis de la obra— sino que a veces se muestra
también fines que tienden al futuro —o sea, la tras-
cendencia de la obra misma—. Después de todo una
obra, por ser una creación humana, es una realidad
que fluye en el tiempo. La poesía, arte del tiempo. Por
este lado, pues, los métodos de la «crítica de la actividad creadora» nos conducen a los de la «crítica de la
obra creada». Un ejemplo: la crítica que señala la dirección filosófica que lleva tal obra particular. Es como
si un autor, que no ha recibido ninguna filosofía del
pasado, encomendara a la obra que está escribiendo la
misión de buscar una futura posición, en la incesante
marcha de la filosofía. Ramón Fernández propuso, en
Messages, 1926, que a las tres clases de crítica de que
hablaba Thibaudet —las de profesores, artistas y con-
versadores— se agregara la de los filósofos: la subes-
tructura filosófica de una obra «es el cuerpo de ideas,
organizado por una hipótesis, que explica los caracteres esenciales de la obra y los vincula a los problemas
de filosofía general que ahí estaban implícitos». Así se
hace historia —historia de las ideas—, pero es una
historia viva, sorprendida en un momento de la mente
del autor de esa obra. Otro caso. Gaston Bachelard, a
pesar de sus estudios sobre la imaginación poética
(más concretamente: sobre cómo los poetas representan los cuatro elementos, fuego, agua, aire, tierra) no
se queda en la psicología, sino que hace fenomenología
y, en este sentido, deberíamos clasificarlo entre los
críticos, no de la actividad creadora, sino de la obra
creada. Los psicoanalistas —ha declarado— estudian
al hombre detrás de la obra mientras que él se interesa solamente en el acto poético: o sea, la naturaleza
reflejada en la mente creadora a la que a veces, usando la terminología de Jung, define como un «inconsciente colectivo». La verdad es que no es posbile com-

partamentalizar las contribuciones de los críticos, y muchos de los que indagan la génesis de la obra son también quienes mejor analizan la misma obra. La «nueva crítica» suiza-francesa o francesa que, siguiendo a Marcel Raymond, Albert Béguin y Gaston Bachelard, ha dado un grupo tan interesante como el de Georges Poulet, Roland Barthes, Charles Mauron, Jean Paul Weber, no levanta los ojos del texto, y por buscar sus estructuras la podríamos exponer en la próxima sección, junto con el formalismo, pero por otro lado está armada con teorías filosóficas, psicoanalistas, marxistas. Una de las direcciones más recientes de la crítica —la que busca arquetipos míticos en la literatura— se desparrama por la historia, la sociología y la psicología. Lectores de Levy-Brühl y de James G. Frazer, de Carl G. Jung y de Ernst Cassirer, estos críticos aprovechan la antropología, el psicoanálisis, el estudio de las formas simbólicas en la mitología y de la historia de los ritos para mostrar cómo las metáforas poéticas emanan de una visión mágica del universo, crudamente ostensible en los pueblos primitivos. Hay ya contribuciones críticas tan típicas como *The Idea of a Theatre* (1949) de Francis Fergusson y *The Burning Fountain* (1954) de Philip Wheelwright; en español Gustavo Correa ha aplicado el método en *La poesía mítica de Federico García Lorca* (1957). Una de las obras que más sistemáticamente exploran la estructura común a la creación literaria y al pensamiento primitivo es la de Wayne Shumaker: *Literature and the Irrational. A Study in Anthropological Backgrounds* (1960). La total psique, no solo la conciencia, se excita en la actividad estética. Tendencias irracionales que vienen del pasado del individuo y aun de la especie entran en juego. Es fácil mostrar la semejanza entre el lenguaje primitivo y el lenguaje literario: el animismo, por ejemplo. El cuento y la novela, la comedia y el drama, la épica y la lírica han perpetuado, en el plano de la literatura, hábitos psicológicos que dimanan de un ancestro inmemorial. En cierta medida el desarrollo mental de un escritor recapitula el de toda la raza humana. Al escribir desciende a un fondo oscuro que es común a todos y de allí saca mitos que reconocemos porque también los lectores los hemos conocido en nuestros propios descensos. La descripción de la mente de un salvaje ayuda, pues, a comprender la de un refinado esteta. Los rasgos parecidos entre el artista, el neurótico, el soñador se originan en la psicología mágicomítica de los niños y de los pueblos menos desarrollados. El estudio de la literatura puede beneficiarse, pues, con las contribuciones de la antropología a la comprensión de los elementos no racionales de toda obra poética. La mente del escritor, excitada y tensa en el instante mismo de la creación, «regresa», psíquicamente, al niño y al hombre primigenio. Tal irracionalidad, lejos de disminuir el valor estético de la literatura, lo aumenta con el valor de la verdad. La literatura, aunque por vía no discursiva, aprehende la realidad. Es, pues, un modo de conocimiento. Por lo pronto, un conocimiento de la mente humana y de sus relaciones con el mundo circundante. El artista, después de todo, es un especialista en presentarnos imágenes de lo que percibe. La crítica literaria, pues, ahonda en el misterio de este lenguaje imaginativo, que es también el de criaturas no habituadas al razonamiento lógico. La literatura es un autoconocimiento de lo fundamental del hombre, de lo que realmente somos, por debajo de lo que queremos ser. Juzgamos como buena aquella literatura que nos confronta con conflictos psíquicos que se han reprimido de la conversación diaria precisamente porque nos inquietan demasiado. A esos temibles conflictos la literatura nos los describe en perspectiva, nos los objetiva a la distancia. Nos convierte, en otras palabras, en espectadores de un espejo que tiene la virtud de devolver símbolos de sentimientos colectivos. Este método, de origen antropológico, por abrazar tanta literatura pertenece a la crítica de la actividad creadora, y por eso lo exponemos aquí, pero nos invita a pasar a la crítica de la obra creada.

B. LA OBRA CREADA

Esta crítica —anunciamos al comienzo del capítulo— examina preferentemente la obra misma: lo que está ahí, lo que ella es. La describe de un modo objetivo.

Comprender la génesis de una obra es importante, pero lo que hemos de juzgar —dice— no es la génesis sino la obra. Más: de todas las fuerzas operantes en el proceso literario, la crítica solo debería interesarse en aquellas que vienen a cristalizar en la obra. Sea este, pues, el foco de la atención crítica. No hay otro más real y estable. Si una ciencia de la literatura es posible tendrá que cimentarse en el estudio sistemático de la obra. Las obras, después de todo, son objetos sometidos a observación y análisis, exactamente como los objetos que estudian las otras ciencias. Los métodos de la investigación literaria se parecen, pues, a los métodos científicos. Cuando la observación de la obra no basta, los críticos recurren a hipótesis —históricas, sociológicas, psicológicas—, ni más ni menos como los hombres de ciencia. La obra, entretanto, es lo central. Esta obra es una estructura de símbolos estratificados en varios niveles de significación; estructura que se desprendió inconfundiblemente de un proceso mental, social e histórico. Entre la obra y las fuerzas que la crearon hay un vacío: la obra ha dado un salto —un «salto óntico», diría un metafísico— y ahora es un objeto bello. La psicología, la sociedad y la historia quedaron al otro lado del precipicio y sería vano buscar en el vacío las causas que explicaran la belleza de ese ob-

jeto. En una explicación causal hay que explicar una
causa con una causa anterior, y esta con otra —¡causas de causas de causas!— y así, en un «regressus ad
infinitum», llegaríamos a la idea de una primera causa inmóvil, idea que no es menos metafísica que la del
«salto óntico». Separar la obra de sus circunstancias no
quiere decir que vamos a analizar solamente los detalles físicos de su materia, su forma y su estilo. También
eso sería periférico y pedante. Una obra literaria está
hecha con palabras, y las palabras —a diferencia de los
colores, líneas, volúmenes y sonidos que son los medios de otras artes— no se subordinan fácilmente a la
pura expresión estética. Las palabras acarrean conceptos, juicios y razonamientos que transmiten un mensaje intelectual, por muy lírica que sea la obra. No hay
poeta puro que pueda desalojar de sus palabras el elemento racional que conllevan. Las palabras, sin un
mínimo de sentido lógico, no serían palabras. Ese sentido lógico, en competencia con el sentido poético,
puede perturbar al lector; pero al mismo tiempo impide que la construcción verbal sea fútil. La literatura,
además de evocar imágenes estéticas, propone una interpretación de la realidad. Por este lado reaparece lo
auténticamente humano, en su situación social, en su
coyuntura histórica. El análisis concienzudo de una
obra no necesita, pues, de explicaciones que vengan de
fuera: se basta a sí mismo para descubrir en la obra
todo un mundo de significaciones. No practica dicotomías entre fondo y forma precisamente porque está
interesado en aprehender la unidad que da coherencia
a los estratos de la obra; estratos, desde el sonido hasta la idea, que hay que describir detalladamente, pero
sin perder la visión del conjunto. Crítica interna, esta
que estudia la obra, en sí, en oposición a la crítica externa, que estudia las relaciones de la obra con el escritor y el lector. Cuando la crítica externa alega que
la literatura tiene que tener una causa, la crítica inter-

na podría responder que también el espíritu es una causa. No hay que buscar la causa en la historia, la sociología o la psicología. Está en ese punto del proceso mental del escritor donde la historia, la sociología y la psicología dejan de actuar como tales y se convierten en una imagen estructurada verbalmente. Si la crítica externa rebate que hay causas más causas que otras (las externas más que la internas) todo lo que hay que hacer es recordarles el cuento de los hermanos gemelos: uno de ellos exclamaba «somos iguales, pero yo soy más igual que el otro».

A los críticos de la crítica interna podríamos separarlos en varias familias según que prefieran el método temático, el formalista o el estilístico.

1. *Método temático*

Hay quienes escarban en los temas. Como en el caso de todos los métodos, su uso puede ser más o menos superficial, más o menos profundo. La actitud más superficial consiste en pensar en los temas fuera de la literatura para luego buscarlos dentro de una obra literaria. Por ejemplo, se piensa en la geografía de un país y luego se catalogan las novelas según que la acción transcurra en el campo o en la ciudad; se piensa en ciertas cosas y luego se catalogan los poemas según que canten al mar, al amor o a la moral; se piensa en los problemas de la vida y luego se catalogan los dramas según sus tesis. Son operaciones críticas demasiado elementales. Rebajan la literatura a un inventario de tópicos pero nos dicen poco sobre las obras mismas. Cuando con esta actitud se estiman las obras, el juicio suele ser también superficial: si los temas, pensados fuera de la literatura, parecen «grandes» o «pequeños», habrá quienes asuman que son ellos, los temas, los que dan grandeza o pequeñez a una

obra. Si el tema «Dios» parece al crítico más grande
que el tema «beso» nos dirá que la poesía religiosa tiene más grandeza que la poesía erótica. Manejado así,
el método temático es falso, pues lo que de veras merece la pena es el tratamiento personal del tema, no el
tema en sí. El tema es inseparable de la configuración
total que el escritor le ha dado. El método temático,
pues, debe vigilar el tema concreto de la obra, no un
tema abstracto en la obra. No escinde la obra en forma
y contenido, sino que ilumina, para verlos mejor, sus
temas, sean reales o ideales: y los temas, así vistos,
aparecen dinámicos y operantes a lo largo de la acción, dentro de escenas y situaciones, desplegados en
alegorías, en forma de leitmotiv que regula toda una
obra o en el salto de trampolín que da el escritor desde ciertos materiales elegidos.

Una obra —perdone el lector que seamos tan ma-
chacones— es unitaria e indivisible. Habría que cap-
tarla en su ser único. Pero al pensar en ella nuestro
modo de pensar suele escindirla. Siguiendo el modelo
de las ciencias que parcelan el conocimiento de la realidad, hay críticos que dividen la obra. Lo cual no esta-
ría mal si no confundieran el modo de ser de esa obra
con el modo de conocerla. Es decir, si esos críticos
advirtiesen que lo que están dividiendo no es la obra,
sino su conocimiento de ella. Una cosa es la estructura
de la obra, y otra la red de conceptos con que los críticos la pescan. La primera división que se nos ocurre
es la de forma y contenido. Esta idea de que una obra
tiene forma y fondo es muy vieja: la Retórica de los
antiguos hablaba de «pensamiento desnudo» y «pensamiento con ornato». Pero también es vieja la observación de que forma y contenido son una y la misma
cosa: en los fragmentos del libro sobre los poemas del
epicúreo Filodemo de Gadara (siglo I, a. de C.) se reprocha a Neptolemo de Paros el haber separado el tema
de la «forma de decir». Tomamos este dato de Benedet-

to Croce, quien es uno de los más vehementes impugnadores de la dicotomía fondo-forma. Pero el mismo Croce no puede menos de caer en otras oposiciones que quisiera negar. Es inevitable. Croce está pensando filosóficamente, o sea, con conceptos; y cada concepto, al abstraer de la realidad ciertas notas que tienen un común denominador, excluye otras que inmediatamente se organizan en un concepto opuesto: materia y espíritu, no-yo y yo, fondo y forma, etc. En la historia de la Estética la polémica sobre si hay o no fondo y forma es cuestión de palabras. Croce, pues, negó la distinción entre fondo y forma, pero en cambio distinguió entre intuición y concepto; y, al pensar en la 'intuición', la separó de la materia (sensación, sentimiento). Más aún: Croce, que tan enérgicamente probó la identidad de intuición-expresión como unidad de fondo y forma, tuvo que recurrir a otras dicotomías. De estas (teoría y práctica; expresión y comunicación, etc.) nos interesa ahora, para precisar el método temático que nos ocupa, la dicotomía crociana entre poesía y literatura: la poesía, en verso o en prosa, es expresión de lo que una persona ve de valioso en su propia intimidad; la literatura, en cambio, es una actividad —como la urbanidad, como la cortesía— de gentes que se comunican de una manera civilizada (*La Poesía*, I, 6, Bari, 1936). La investigación del fondo de una obra podría hacerse, pues, en dos planos: en el plano de la poesía se investigaría el tratamiento intuitivo de los temas; y en el plano de la literatura se investigaría el aprovechamiento de convenciones.

Al fraccionar el contenido de una obra aparecen varios elementos que el crítico debe nombrar. ¿Cómo? ¿Inventando vocablos adecuados? Los neologismos no siempre son claros y, en todo caso, corren el albur de que los colegas no los acepten. ¿Tener en cuenta la etimología de palabras existentes y quedarse con aquellas que, de acuerdo con su significación clásica, caractericen lógicamente el contenido que se quiere describir? Ah, las antiguas palabras, a fuerza de vivir a lo largo de siglos y en diferentes países, han cambiado tanto que a veces su *étymon* no explica nada. ¿Ceder al sentimiento personal de la lengua y a los usos corrientes, hoy y aquí? Entonces el lenguaje del crítico, por exceso de subjetividad y relatividad, puede deteriorarse en su rigor científico. ¿Traducir o adaptar términos que figuran en las terminologías de críticos de gran reputación internacional? Lo malo —además de la pedantería— es que esos términos, en francés, inglés, alemán, italiano, ruso, funcionan dentro de un sistema semántico ajeno al nuestro y por tanto, si los arrancamos aislados, pierden su plena significación, sin contar con que también implican perspectivas sobre la realidad, concepciones del mundo, actitudes ante la vida que no corresponden a las de nuestra existencia nacional. No hay solución, pues. En el almacén de la lengua española hay varias palabras disponibles: tema, materia, asunto, tópico, motivo, leitmotiv, clisé, idea, pretexto, anécdota, tesis, argumento, emblema, estereotipo, fábula, etc. Pero los matices semánticos que diferencian a una de otra no son ni claros ni permanentes ni universales. Lo que deberíamos hacer, pues, es analizar los componentes de una obra concreta, describirlos objetivamente, diferenciarlos y, si los bautizamos, definir el nombre que le damos dentro de nuestra responsable terminología crítica.

He aquí algunas de las cosas que pueden verse en el contenido de una obra.

a) Una materia extraliteraria que, a través de la experiencia tempo-espacial del escritor, se ha trasladado de la realidad a la obra. Es la naturaleza real, objetiva que, según las teorías miméticas de los griegos, los artistas imitaban; o, en todo caso, es un mundo que existe públicamente y del que deriva, directa o indirectamente, la obra artística.

b) Unos lugares comunes que, acarreados por la tradición literaria, entran en la obra: son materiales literarios con los que se hace literatura.

c) Una situación inventada por alguien, pero como los hombres son fundamentalmente iguales, esa situación repite situaciones inventadas también por otros hombres.

d) Unos impulsos que, siguiendo una manifiesta dirección, mueven acciones, estas acciones se realizan en acontecimientos y estos acontecimientos deciden la marcha de la obra.

e) Unos símbolos cuyas imágenes y esquemas conceptuales se subordinan unos a otros, se organizan y acaban por construir una vasta totalidad.

f) Una experiencia vivida, concreta, única, compleja, total, donde se refleja la personalidad original del escritor; experiencia que, a manera de principio generador, se despliega con sentido constante en múltiples subtemas.

De los investigadores de temas, notable es Ernst Robert Curtius. En *Literatura europea y Edad Media latina* (1948) nos ha dado una lista de tópicos —o sea, de clisés fijos, de lugares comunes, de esquemas del pensamiento y del discurso— que proceden de la literatura antigua y se transmiten hasta el Renacimiento y el Barroco. Pero en esta fragmentación de las obras artísticas en tópicos generales, por atender al catálogo de lugares comunes, se desatiende lo individual. Así lo observó María Rosa Lida de Malkiel al comentar la obra de Curtius. La misma María Rosa Lida es un ilustre caso de la deseable comprensión del tratamiento que se debe dar a los tópicos en una obra particular. Excelentes son sus trabajos donde parangona los temas para ver cómo se manifiestan en la tradición literaria. Estudia paralelas y contrastes entre dos temas afines en obras de autores diferentes y no relaciona-

Enrique Anderson Imbert

dos; o la metamorfosis de motivos literarios desde la antigüedad hasta hoy [16]. Otro buen ejemplo de lo que puede hacer la crítica temática aplicada a un solo autor es el *Jorge Manrique* de Pedro Salinas, donde exhibe cómo grandes temas literarios medievales se alinearon en constelación [17]. Jean-Paul Weber practica una crítica temática de fundamento psicoanalítico: busca en la obra señas de una experiencia traumática que se proyecta en temas obsesionantes.

El medir el espacio que ocupa un tema en una obra cualquiera —método que, según se recordará, calificamos de superficial— se parece a la geometría. Este método que ahora estamos encomiando se parece más bien al «analysis situs», «topología» o estudio de las propiedades de figuras geométricas que varían en un sistema de transformación continua. Es decir, se vigilan las relaciones que guardan entre sí los temas. En topología no interesan las medidas de las caras o de los vértices, sino el número de las caras y vértices relacionados. Los temas, por universales que sean —es decir, por mucho que los reconozcamos en la literatura mundial— aparecen en cada obra con una variante par-

[16] María Rosa Lida de Malkiel, *El cuento popular hispanoamericano*, 1941; *Juan de Mena, poeta del prerrenacimiento español*, 1950; *La idea de la fama en la Edad Media castellana*, 1952; *La originalidad artística de La Celestina*, 1962, e innumerables artículos, algunos de ellos recogidos póstumamente en *Estudios de literatura española y comparada*, 1966. Para que se vea por dentro, y en pleno trabajo, el taller de la crítica temática, recomendamos las geniales reseñas de María Rosa a algunos tratados importantes: María Rosa los abre y nos los muestra en su interminable busca de hechos: «La tradición clásica en España. A propósito de Gilbert Higuet, *The Classical tradition*», *Nueva Revista de Filología Hispánica*, México, V, 2 (abril-junio de 1951); «Apéndice a Howard Rollin Patch, *El otro mundo en la literatura medieval*», México, 1956; «Perduración de la literatura antigua en Occidente (a propósito de Ernst Robert Curtius, *Europäische Literatur und lateinisches Mittelalter*», *Romance Philology*, V, 2 y 3 (noviembre 1951, febrero 1952).

[17] Pedro Salinas, *Jorge Manrique o tradición y originalidad*, Buenos Aires, 1947.

ticular. Por eso la crítica temática, en el fondo, lo que hace es destacar los temas como metáforas individuales. Es, pues, un estudio de interioridades.

2. *Método formalista*

Un poco como reacción polémica contra la tendencia a rehuir el análisis del texto para ponerse a hablar de su génesis o de la impresión del lector, se ha hecho fuerte, sobre todo en los últimos años, un tipo de crítica rigurosamente técnico que dice especializarse en la estructura formal de una obra. Estos críticos exageran, pero por lo menos arrojan del templo a los mercaderes que mezclan el comercio con el culto. Una exageración: por negar la existencia de lo que no sea el texto mismo, se prescinde aun de la fecha en que fue escrito; el texto nos llega del vacío, como esas luces de otro tiempo a las que llamamos estrellas. Si es posible una historia de la literatura, si es posible una psicología de la creación literaria es porque ahí, ante nuestros ojos, está una novela o un poema o un drama. Analicémoslo, dicen los formalistas. Esto lo habían hecho ya los profesores de retórica. Pero ahora se brindan nuevos métodos y hasta se erigen escuelas. Sería más fácil dedicar un volumen a cada una de ellas que hacer entrar a todas en una sinopsis de una página. Con el desorden de ojos que saltaran de aquí para allá, para mirar un inmenso e irregular panorama, mencionaremos unas pocas direcciones de la crítica especializada en formas y estructuras. Algunas de las capillas de la alemana Estilística o de la francesa «Explicación de textos». El «formalismo ruso», entre 1916 y 1930: Viktor Jermunski, Viktor Shklovski, Yuriy Tynyanov, Boris Tomashevski y el más importante, por su influencia en otros países, Roman Jakobson. Influyó Jakobson en Checoslovaquia, donde se distinguieron Jan Mukaro-

vski y René Wellek. El polaco Roman Ingarden fue uno
de los primeros, allá en 1931, en examinar la autonomía de la obra como objeto independiente del autor y
de su circunstancia. Los «nuevos críticos» de los Estados Unidos no se ajustan exactamente al formalismo:
practican también el análisis semántico, el marxismo,
el psicoanálisis, la antropología y la lingüística. Algunos nombres: Cleanth Brooks y W. K. Wimsatt; John
Crowe Ransom, Allen Tate e Yvor Winters; Kenneth
Burke y R. P. Blackmur; William Empson, Robert
Penn Warren, etc. En Suiza unos críticos de lengua
francesa pero que conocen el alemán y han estudiado
las tendencias fenomenológicas, estilísticas y estructu-
ralistas de Alemania han creado una «nueva crítica»
que se extiende a Francia. Hemos hablado de ellos al
final del capítulo sobre la «actividad creadora». Agre-
guemos los nombres de Jean Starobinski, Jean Rousset, René Girard. Por considerar la obra literaria como
un objeto se le ha podido aplicar el método fenomenológico de Husserl (Roman Ingarden, *La obra literaria*,
Halle, 1931) o el análisis estructural inspirado en el
método ontológico de Heidegger (Johannes Pfeiffer, *La
poesía. Hacia una comprensión de lo poético*, México,
1951). Pero estos análisis para llegar a la esencia de lo
poético (a los que se podrían agregar los propuestos por
Beriger, Wolff y otros) parecen dirigirse más a casos
ideales, a-históricos, que a obras concretas. Por momentos parecen dirigirse a la confección de una terminología [18].

Los críticos de la estructura son hábiles en el manejo de los elementos que se relacionan en diferentes
niveles lingüísticos. La poesía es una función que prevalece en uno de esos niveles estructurales: esa función
consiste en expresarse mediante la palabra; palabra
que, a su vez, cumple, por naturaleza, con una función

[18] William Elton, *A glossary of the New Criticism*, 1948.

expresiva; o sea, que para el estructuralismo —cuya premisa es el lenguaje como forma de *comunicación*— el «mensaje» de la poesía es la palabra misma, el medio es un fin. (Roman Jakobson: «Linguistics and Poetics», en *Style in Language*, New York, 1960.) La obra poética puede analizarse en estratos que, si bien se dan simultáneamente, constituyen un orden vertical que hay que recorrer de abajo arriba y de arriba abajo. Roman Ingarden, de quien ya hablamos, ha descrito esos estratos en *La obra literaria*, 1931: 1) el estrato de sonidos articulados, sobre los que se construyen estructuras sonoras más complejas; 2) el estrato de unidades significativas que caracterizan la existencia de objetos imaginados; 3) el estrato de múltiples «aspectos esquematizados», posibles modos en que el mundo ficticio ha de aparecerse ante la vista del lector; y 4) el estrato de los objetos representados y de sus varias fortunas [19].

No es que los formalistas partan una obra en «fondo» y «forma», sino que ven que el todo de la obra se da en una forma, analizable en los menores detalles de su estructura. Es decir, que una obra tiene una «forma interior» (dada por la intuición artística) y la proyección de esa forma interior en la lengua en que está escrita nos da una «forma objetiva», susceptible de análisis. No son los materiales de una obra lo que se estudia, sino su organización. Análisis de una estructura, no de componentes. Si los formalistas descomponen una obra, es para recomponerla. Los elementos que no formen parte de una estructura no tienen existencia estética: recogerlos en listas, contarlos en estadísticas sería perder el tiempo. El análisis no consi-

[19] Véase una reducción de este intrincadísimo análisis en Victor M. Hamm, «The ontology in the literary work of art: Roman Ingarden's *Das literarische Kunstwerk*», en *The Critical Matrix*, editado por P. R. Sullivan, Washington, D. C., 1961. Otro libro útil de V. M. Hamm, *The pattern of Criticism*, edición aumentada, Milwaukee, 1960.

dera la obra como documento psicológico o biográfico
de algo vivido por su autor; mucho menos como documento de su lengua o como documento de una literatura nacional, sino, pura y simplemente, como un com-
plicado objeto verbal, cerrado y autosuficiente, lleno
de significaciones que irradian desde un núcleo intencional hasta una periferia de palabras, para volverse
de la periferia al núcleo y seguir así, en círculos escla-
recedores. W. K. Wimsatt denuncia que la «falacia de
la intención» y la «falacia afectiva» —esto es, querer
explicar la obra a través de su origen en la mente del
autor o de su resultado en la mente del lector— son
maniobras para eludir los problemas técnicos de la
crítica. Confunden el orden de la naturaleza con el orden del arte. La obra artística es una sólida estructura
de significaciones construida técnicamente. Hay que
poner entre paréntesis todo lo ajeno a la obra misma;
y una vez sustantivada, analizarla. Las otras críticas,
las que en vez de observar la técnica observan al poeta
genial o las respuestas de su auditorio, se han escapado del arte a la naturaleza[20].

Algunos formalistas se desinteresan del contexto
histórico y del valor estético de la obra analizada. Así
dicen ellos. En verdad, no prescinden de la historia,
sino que la dan por sabida. Confían en que el lector,
por su cuenta, ponga cada cosa en su sitio. Los géneros
derivan de una tradición, los poemas son ocasionales,
las palabras cambian de significación: los críticos formalistas piden a la historia toda la información que
necesitan, pero después pegan los ojos al texto. Cuando analizan semánticamente un texto suponen también
el conocimiento de la historia de la lengua. En cuanto
al valor estético, no se lo puede eludir por objetivo que
sea el análisis. Elegir una obra es ya un juicio. Todo
análisis apunta a un valor y sigue esa dirección. Es

[20] W. K. Wimsatt, *The verbal Icon. Studies in the meaning of Poetry*, University of Kentucky Press, 1954.

posible una espectroscopia de textos estéticamente pobres (Leo Spitzer ha analizado avisos comerciales), pero aun en esos casos el valor, presente o ausente en los textos, está a la vista, en la mente del crítico, y aunque no lo describa explícitamente a él se dirige con la estrategia de su exposición. Roman Ingarden, que en su análisis fenomenológico puso entre paréntesis el enfoque valorizador, al presentar una ontología general de la obra verbal tuvo que dibujar un mapa de todo el continente dentro del que se veía el país de las bellas letras y aun una provincia áurea donde se encontraban los valores estéticos más puros. Como quiera que sea, lo cierto es que los formalistas, aunque hayan gustado de una obra antes de llevarla al taller, en el acto mismo de desmontarla suelen desentenderse de su valor. O —como en la escuela rusa— se limitan a afirmar el valor de las formas novedosas y sorprendentes. Destierran del lenguaje de la crítica los conceptos de «imaginativo», «genio» y aun de «belleza». Si dicen que una obra es «clásica» es para referirse a esas que tienen una «estructura fuerte» (terminología de la Gestalttheorie): o sea, formas claras, bien definidas, de proporciones equilibradas, llevadas a un máximo de intensidad y estilización.

El método formalista suele sufrir de dos achaques. Primero, su predilección por una literatura rica en formas, en enigmas, en propósitos ocultos, en símbolos oscuros. Como esa literatura permite al análisis más libertad de acción, el método formalista, agradecido, tiende a sobrevalorarla. Segundo, su predilección por un lenguaje científico lleva a esos críticos a suprimir del análisis los aspectos psicológicos y estéticos —irreductibles a ciencia— y así, al quedarse solo con un esqueleto objetivo, falsean y empobrecen la obra. Con extraordinaria voluntad de precisión apartan el aparato histórico-sociológico-psicológico y describen

129

propiedades estructurales de una página, pero se les escapan valiosas esencias.

Por su naturaleza misma, este método suele caer en malas manos. El método, sin embargo, no tiene la culpa de que lo prefieran más los albañiles que los arquitectos. O digámoslo de otro modo: en el método formalista se disimulan mejor los peones auxiliares que solo pueden cumplir con una tarea mecánica. Tan mecánica que, en estos últimos años, empieza a ser sustituida por máquinas electrónicas capaces de coleccionar, computar y catalogar toda suerte de palabras [21]. Charles Bruneau, en su deseo de ser científico, opuso a la estilística de Spitzer —porque requería «demasiado talento»— otra que se basara en clasificaciones rigurosas, estadísticas, listas de palabras frecuentes, procedimientos característicos de la lengua, enumeraciones, catálogos de imágenes, etc. [22] Gran parte de los trabajos sobre la materia literaria emprendidos con ayuda de máquinas o de teorías mecánicas, logicistas, de gramática transformacional, etc. —cibernética que cuenta,

[21] Ya se fabrican «robots» con «cerebros» electrónicos que «leen» un texto, identifican una palabra, computan todas las veces que aparece en sus diferentes contextos, almacenan su información y con pasmosa velocidad pueden ficharnos los pasajes que necesitamos. Las «concordancias» de un autor o un libro, que antes se editaban con grandes esfuerzos colectivos, ahora se están editando con facilidad: se compila un índice de todo el lenguaje, partícula por partícula, de la Biblia o de Shakespeare. Los críticos que usaban diagramas a manera de máquinas pensantes empiezan a ser dispensables. Un caso de dispensable paciencia es el «Syntopicon» que Mortimer J. Adler agregó a los *Great Books of the Western World*, 54 vols., 1952. El «syntopicon» articula los libros por sus ideas comunes, ordenadas en una lista alfabética que va desde Angeles hasta Mundo («angels», «world»). Cada idea (y son ciento dos) está subdividida en varios tópicos; cada tópico está referido a ciertos pasajes de los «grandes libros». Si el lector sabe hacer funcionar este tablero de conmutadores puede averiguar qué es lo que tal libro dice sobre tal tema, qué controversias ha suscitado, etc. Sobre el uso de gráficos y estadísticas véanse Edith Rickert, *New Methods for the Study of Literature*, Chicago, 1927; G. Udny Yule, *The Statistical Study of Literary Vocabulary*, Cambridge, 1944.

[22] «La Stylistique», *Romance Philology*, V, 1 (1951).

mide y confecciona estadísticas y colecciona los desvíos de la palabra con respecto «a lo que quiso decir un escritor»— no pueden ni emplazar ni desplazar la crítica; mucho menos remplazarla; la crítica se da el lujo de usarlas cuando así le conviene. Y no le conviene a la crítica ignorar las posibilidades de aplicar las nuevas matemáticas al estudio de las formas artísticas. Lo que ocurrió en el pasado es que se aplicaban a las ciencias humanas las mismas técnicas de medición de las ciencias físicas. Solo que, en las ciencias físicas, el tratamiento cuantitativo enriquecía el conocimiento de los objetos medidos; y, por el contrario, en la psicología, la estética, la lingüística, la historia, la sociología, etc. los fenómenos que se podían medir eran los menos importantes y significativos y, por tanto, el conocimiento se empobrecía. Pero las matemáticas no están limitadas a lo cuantitativo y mensurable: combinan la exactitud empírica con la libertad imaginativa y pueden acompañar a la actividad estética. En efecto, las matemáticas están trabajando en ciertos campos que admiten el estudio de conexiones funcionales que antes se les escapaban, como las de la literatura, por ejemplo. Las teorías de los conjuntos, de los grupos, de la información, de los juegos, de la topología pueden analizar fenómenos humanísticos fundados en el cambio cualitativo. Teorías que por relacionar clases de individuos separadas unas de otras por valores discontinuos pueden ayudar al crítico. Después de todo esa discontinuidad que estudian las matemáticas en los conjuntos cualitativos es una de las propiedades esenciales de la creación literaria: el concepto de «mot juste», por ejemplo, tan usado por los críticos de la poesía simbolista de fines del siglo pasado.

Dentro del formalismo podríamos distinguir dos estados: 1) formas que se dan en la lengua, formas propiamente dichas, perceptibles a simple vista; y 2) formas que flotan sobre la lengua, formas ideológicas que la inteligencia va aprehendiendo poco a poco. Acaso podríamos distinguir (siguiendo sugerencias del Círculo Lingüístico de Praga) entre «forma», como suma de procedimientos que no es separable del contenido pero aun así, por ser lingüística, material y sensual se inclina hacia lo exterior, y «estructura», como totalidad de un mundo mental de motivos, temas, caracteres, tramas, todo en estratos heterogéneos, proyectado, a través de la obra, a nuestra capacidad de comprender unitariamente.

Si catan formas reales, los críticos formalistas son próvidos en estadísticas, recuentos, citas y sistematizaciones de los componentes lexicales, sintácticos y fonológicos. Si catan formas ideales, nos trazan la geometría y la topología de la obra: ritmos en la construcción, marcos abstractos, soluciones a problemas de presentación, los puntos de vista, las prácticas y las técnicas del escritor, es decir, los elementos formales de su espíritu. Georges Polti había podado la estructura teatral dejándole «trente six situations dramatiques» (1912): Etienne Souriau hizo crecer esos motivos plasmantes y los ramificó en «les deux cent mille situations dramatiques» (París, 1950). Joaquín Casalduero intuye los elementos de una obra y después describe sus interrelaciones funcionales. Lo que intuye, muchas veces, no es el valor inmediato de la estructura misma, sino categorías históricas, ideológicas y estéticas (gótico, renacimiento, barroco, rococó, romanticismo, realismo, impresionismo, cubismo) o una compleja red de símbolos y temas; pero su trabajo crítico se concentra en el riguroso análisis estructural. Dibuja, por ejemplo, las formas dinámicas en las tramas de Cervantes (estructuras divididas en grupos: ritmos binarios, ternarios y cuaternarios, etc.) o vacía la literatura en los moldes de la crítica de arte (a veces excediéndose, como en el uso de la categoría de «cubismo» aplicada a Gabriel Miró); o de un vistazo descubre los principios unificadores en toda la obra de un escritor (símbolos del proceso que lleva a un autor determinado de la materia al espíritu; la elaboración constante de ciertos motivos; tratamientos del espacio y del tiempo; conceptos teológicos del pecado original, ideales heroicos de libertad); o descompone el texto en sus pormenores lingüísticos y formas de composición[23]. Dámaso Alonso parte de la intuición de una obra y se encamina hacia una ciencia de la literatura. En el desarrollo de su sistema de investigación hay un aspecto importante que ejemplifica el método formalista que estamos exponiendo. El conocimiento de la obra literaria, según él, se hace por grados: 1) la lectura (el lector intuye la unidad de la obra; o sea, reproduce la intuición original del escritor, corriendo el riesgo de equivocarse); 2) la crítica (el lector valora su propia intuición y, con ánimo creador, comunica el criterio que ha seguido para separar las obras valiosas de las que no lo son); y 3) la estilística (el lector recibe una obra seleccionada por la crítica y analiza lo más científicamente que puede su forma interior). Esta estilística todavía no es ciencia, pero con técnicas cada vez más precisas constituirá la base de una ciencia futura. El estilo es el signo de la forma literaria, forma que unifica lo significante y lo significado. El estilo es interior porque las predilecciones del lenguaje son predilecciones del pensamiento. Sea que se describa la obra desde fuera o desde dentro la «unicidad» de la obra es el objeto de estudio. La obra es ahistórica porque no cobra sentido en el curso de generaciones de lectores impresionistas, sino que de golpe ofrece una estructura objetiva, inmutable. La historia de la literatura no hace crítica y mucho menos estilística.

[23] Serie de *Sentido y forma de las Novelas ejemplares* (1943), ... de *Los trabajos de Persiles y Segismunda* (1947), ... *del Quijote* (1949), ... *del teatro de Cervantes* (1951). *Estudios de literatura española*, Madrid, 1962.

Con formas parecidas a las matemáticas es posible mostrar las «pluralidades» de una obra o de una serie de obras: correlaciones y paralelismos, modos de ordenar conjuntos semejantes en distintos autores y épocas que no deben confundirse con la descripción mecánica de retóricas que ignoran la condición imprescindible del conocimiento literario: esto es, que se valore la intuición original. Solo que el poder intuitivo del lector-crítico puede equivocarse; hay que asegurarse, pues, con hipótesis de trabajo desprendidas de la ciencia [24]. El aspecto formalista de Dámaso Alonso fue elogiado por Eugenio D'Ors precisamente porque venía a yuxtalinearse junto con su propia Ciencia de la Cultura [25]: ya se sabe que para el anti-histórico D'Ors la cultura debe estudiarse en concreciones sempiternas («eones», «epifanías», «estilos»). Es una especie de exorcismo contra el tiempo, que deja la obra de arte endurecida en una arquitectura de «constantes». Según D'Ors, de todos los modos de crítica —«interjeccional, descriptiva, histórica, sugestiva y explicativa»— solo esta última es verdadera: sobre todo la crítica de «dominantes formales», supraespaciales y supratemporales, a cuyas rítmicas repeticiones hay que tomarles el pulso en cada obra. El formalismo, en efecto, suele reñir con la historia. Edmund Wilson reprochó a T. S. Eliot el carácter a-histórico de su crítica [26]. Reproche merecido solo a medias, pues Eliot, como muchos formalistas, percibe la obra en la historia. Pero sus

[24] *Poesía española. Ensayo de métodos y límites estilísticos*, Madrid, 1950; *Seis calas en la expresión literaria española*, Madrid, 1961; «Fanales de Antonio Machado» en *Cuatro poetas españoles*, Madrid, 1962.

[25] Eugenio D'Ors, «Dámaso Alonso» (en *Novísimo Glosario*, Madrid, 1946). Cfr. José L. Aranguren, *La filosofía de Eugenio D'Ors*, Madrid, 1945.

[26] Edmund Wilson, «The historical interpretation of Literature» (en *The triple thinkers*. Edición revisada, New York, 1948). T. S. Eliot, «Tradition and the individual talent» (en *The sacred wood*, New York, 1920).

ojos, más que seguir los acontecimientos, se detienen en las formas de la historia. Acerca obras de diferentes periodos, establece la singularidad y nivel de excelencia de cada cual y después entresaca principios permanentes. El percibir la presencia del pasado y el arrimar los excelsos momentos de toda la literatura hasta hacerlos simultáneos no es a-histórico: es, en todo caso, un congelamiento de la historia. Eliot cree que más importante que la originalidad de un escritor es su solidaridad con una forma colectiva: la de una cultura nacional, la de una tradición, la de un sistema. El escritor se despersonaliza al sacrificar su personalidad a una mentalidad que lo trasciende: sus obras, por tanto, deben juzgarse de acuerdo a monumentos literarios del pasado. La verdadera crítica supone un orden clásico. A este «orden clásico» Eliot, que era católico, le daba un significado religioso, además de estético.

3. *Método estilístico*

Ante todo, el adjetivo «estilístico» califica tantos modos diferentes de estudiar el lenguaje y la literatura que tendremos que excluir aquellos que, a pesar de llamarse así, no caben en lo que aquí se entiende por estilística. O, al revés, acogeremos prácticas críticas que sí entran en la estilística aunque se presenten con otros nombres. Consulte el lector la bibliografía que indicamos al final y encontrará una guerra civil de definiciones. Para salir del paso diremos que el objeto de la estilística es el estilo. La palabra «estilo», por aludir al habla en el acto mismo de estar simbolizando el pensamiento, unifica otros conceptos que suelen darse en pares: lengua y habla, significante y significado, comunicación y expresión, objetivo y subjetivo, individuo y comunidad, materia y espíritu, multiplicidad y unidad, aprendizaje técnico e improvisación espontánea, el «yo» y el «no-yo», historia y estructura... Dualismos falsos, pues cada concepto depende del otro y se necesita una síntesis de ambos para caracterizar la función simbólica del lenguaje. En la expresión real a esta función la cumple un hablante concreto que, articulándose en la historicidad de la lengua, se expresa con toda libertad y logra un estilo propio. El crítico se ha de fijar en este estilo —construcción simbólica, autónoma— que crea valores que antes no existían. La novedad del estilo es relativa, puesto que su raíz está en una realidad de estímulos, modelos y circunstancias anteriores a la obra misma, pero por relativa que sea siempre es novedad, porque el reordenamiento de los elementos ha sido libre.

Entre el formalismo y la estilística hay un vaivén de solicitaciones y préstamos. Hay también discrepancias. El formalismo, por lo menos en los casos extremos, pretende eliminar del análisis al poeta creador y aun la fruición de la belleza. La estilística, en cambio, goza el poema como una construcción intencional y saluda la presencia del poeta. La obra, no como producto, sino como energía productiva. El acento de la estilística, en general, cae en la investigación del valor estético tal como fue captado por el habla del escritor.

Hemos dicho: «por el habla» y no «por la lengua». Porque hay una estilística del habla y una estilística de la lengua, y conviene mantener el discrimen. Ferdinand de Saussure distinguió entre la lengua (*langue*), que es el sistema convencional de símbolos de que se vale una comunidad para que las gentes se entiendan: y el habla (*parole*), que es el uso particular, individual, de esa lengua. La lingüística estudia la lengua; y puede estudiarla estilísticamente si observa sus elementos extralógicos. «La estilística —decía Bally— estudia los hechos del lenguaje desde el punto de vista de su contenido afectivo». Pero esta estilística de los lingüis-

tas —estilística de la lengua, como en Charles Bally,
Marouzeau, Cressot, Devoto— es solo un auxiliar del
método estilístico con que trabaja la crítica literaria.
Cuando esos lingüistas sausserianos lanzaron la idea
de los «medios expresivos» del individuo o de la «selección» libre de esos recursos, sin duda sirvieron a
los críticos (aunque no tanto como los lingüistas idealistas, que encabezados por Vossler, insisten en que los
hechos de la lengua están en función del espíritu humano), pero aun así no hay que confundir las dos estilísticas. Sobre los problemas de la divergencia entre la
estilística de los lingüistas y la estilística de los críticos hay ya una cuantiosa bibliografía[27]. En este capítulo nos concierne, tan solo, la estilística de los críticos. Al que quiera medir la distancia entre ambas
estilísticas lo remitimos a esa bibliografía: v. gr., a los
Studi di Stilistica (Firenze, 1950) de Giacomo Devoto.
Para Devoto la crítica se desentiende de las normas
lingüísticas generales y pasa del texto literario a la
interpretación de una concreta situación expresiva
personal; la estilística, por el contrario, partiendo de
la lengua como «institución», revisa las «selecciones»
disponibles que se le presentan al escritor, su modo de
elegir entre las posibilidades lingüísticas que se ofrecen a su exigencia expresiva. Hay una «lengua individual», intermediaria entre la lengua (*langue*) de toda
la colectividad y el habla (*parole*) de cada individuo.
Mientras el crítico anota los impulsos de expresión estética, el estilista clasifica las leyes, no estéticas sino
idiomáticas, que hacen factibles esos impulsos. Mientras en el crítico la valoración de una obra es previa
al análisis, en el estilista el clasificar el «tesoro de selecciones virtuales» que el escritor tenía al frente, en
el ámbito de su comunidad lingüística, es previo al

[27] Remito a la bibliografía de bibliografías que puede entresacarse
de Benvenuto Terracini, *Analisi stilistica, Teoria, storia, problemi*, Milano, 1966 Stephen Ullman, *Language and Style*, Oxford, 1964.

examen de la «selección real» que acabó por hacer.
Mientras el crítico rompe el lazo de la obra con la tradición, el estilista lo anuda. Así como en una sociedad
hay instituciones y jueces y policías que aplican las
leyes para mantener el orden público, en la vida de la
lengua —que es también una institución social— los
lingüistas son los intérpretes de la conducta de los
textos literarios con respecto a modelos tradicionales.
Entre el habla como poesía y la lengua como gramática, la estilística ejerce una especie de magistratura
sobre la «lengua individual». Su propósito, sin embargo, no es normativo ni retórico: se concentra en la
presentación, dentro de un sistema lingüístico, de todo
lo que está a disposición del escritor como «selección».
La libertad expresiva del individuo queda subordinada
a los límites impuestos por el «instituto». Hasta aquí,
Giacomo Devoto. Pero, ya lo advertimos, en este capítulo no nos atañe la estilística de los lingüistas, sino la
crítica. El escritor, claro, usa una lengua, pero al usarla ya no es la lengua de todos, sino el habla suya. El
método estudiará, pues, la tradición lingüística de la
sociedad de donde procede el escritor que le interesa;
estudiará la actitud que el escritor tiene ante esa lengua y los ideales de expresión personal que lo animan;
estudiará la génesis lingüística de la obra y, al encarecer su desnuda belleza, describirá lo que ve, que es una
leve y casi transparente túnica de símbolos plegados
sobre cada curva de su cuerpo. La estilística de la
lengua es previa a la del habla. Fue Vossler, con su
interpretación de una fábula de La Fontaine, quien
abrió el camino a la crítica estilística, de base idealista. Aunque crociano, Vossler no disolvía la lingüística
en estética. Continuando la idea de una «forma interior» —que Wilhelm Humboldt había definido— Vossler afirmó la autonomía de la lingüística y, sin abandonar la lengua como uso social en una tradición histórica, se puso a analizar la correlación entre la expresión

idiomática y la estructura anímica de un escritor. Correlación, o sea, actividad circular; y esta imagen de «círculo» será la que, a su manera, ha de desarrollar Leo Spitzer.

Leo Spitzer no fue un filósofo de la lengua o de la literatura, sino un filólogo que elegía ciertos textos en los que reconocía un alto mérito artístico y los analizaba con detenida atención. Aunque a primera vista parece emparentado con Croce y Vossler en realidad sus investigaciones estilísticas fueron independientes de ellos. Su punto de partida fue psicológico, aun con deudas a Freud: en una anormalidad del estilo, o en un complejo de rasgos anormales, veía el reflejo de la obra entera o de la entera personalidad del escritor. En esta primera etapa, que duró, más o menos, hasta 1930, formuló su método así:

«A una *emoción* que se aparta de nuestro estado psíquico normal corresponde, en el campo expresivo. un desvío del uso *lingüístico* normal; y, viceversa, el uso de una forma lingüística desviada de lo normal es indicio de un estado psíquico determinante. En suma: una peculiar expresión idiomática es reflejo de una peculiar condición del espíritu» («La interpretación lingüística de las obras literarias», 1930).

Qué entendía Spitzer, exactamente, por «desvío de la lengua normal» no es fácil de averiguar. ¿Desvío con respecto a la lengua que usan los hombres de una misma comunidad, en una época dada, o desvío con respecto a la lengua del mismo escritor, tal como la usaba en sus propios escritos? Como quiera que sea, hay que tener en cuenta que para Spitzer tanto la lengua normal como el desvío de la norma eran actividades de una conciencia personal. Sus primeros estudios versaron, pues, sobre los neologismos de Rabelais, sobre las novedades sintácticas de los simbolistas franceses, etc. Spitzer describía su método como un «círculo de comprensión filológica»: de la observación de

detalles lingüísticos de la periferia de la obra al centro
de la personalidad del autor y viceversa, en un vaivén
de inducciones y deducciones, de accidentes y esencias, de hechos e hipótesis.

Spitzer trabajaba así. Se ponía a leer y de pronto se
sentía sacudido por algo que le llamaba la atención.
Inmediatamente intentaba interpretar ese primer ras-
go estilístico descubierto, su posible raíz psicológica e
histórica. Comenzaba por pensar en una hipótesis. En
seguida coleccionaba otros rasgos, diferentes pero que
se prestaban a la misma interpretación. La hipótesis
quedaba confirmada. Del detalle a la hipótesis, de la
hipótesis al detalle. Si todos los rasgos investigados
conducían a la misma conclusión, Spitzer declaraba
haber encontrado el principio configurante de una obra
literaria. La obra, para Spitzer, era un todo cuya cohesión íntima dimanaba de la mente del autor. Mente con
energías de sistema solar: alrededor de un pensamiento central giraban, en sus respectivas órbitas, los detalles de la obra: detalles de la lengua, de los motivos,
de la trama, etc. Cada detalle nos entregaba la clave
para penetrar en el centro de la obra; y desde el centro el crítico podía echar una mirada a los demás detalles y comprobar si tal «étymon espiritual», si tal
«raíz psicológica» explicaba el conjunto de lo que veía.
El estilo de un escritor era la cristalización externa de
la «forma interior» de la mente y del habla de ese escritor; o —para emplear otra imagen spitzeriana— la
sangre vital de la creación poética era siempre y en todas partes la misma, punzáramos el organismo en el
lenguaje, en las ideas, en la trama o en la composición.

Obsérvese que Spitzer no se limitaba al análisis de
rasgos lingüísticos: también estudiaba motivos, ideas,
contextos no lingüísticos. En otras palabras, estudiaba
su total estructura. Pero el aspecto estructuralista de
su crítica literaria se hizo más evidente después del
año 1930, cuando de pronto se sintió insatisfecho de

su propio método. Entendió que, por su origen psicológico, era útil para la literatura de los siglos XIX y XX pero no para escritores de siglos anteriores, reacios a expresar sus idiosincrasias con afanes anormalmente individualizadores.

Entonces fue cuando Spitzer se interesó por estructuras cada vez más amplias y el estilo apareció como un estrato superficial que hay que integrar con un centro que está en la persona del escritor, sí, pero que revela también vastas cosmovisiones en la historia de la cultura. Había que reconstruir el sistema estilístico de un escritor, pero tal sistema, a su vez, servía para reconstruir sistemas históricos. Lo que hizo Spitzer, pues, fue no solo paladear estilos individuales, sino también estilos colectivos, y su fórmula —comprensiva de las dos etapas de su estilística— podría ser la siguiente:

«Toda desviación estilística individual de la norma corriente tiene que representar un nuevo rumbo histórico emprendido por el escritor; tiene que revelar un cambio en el espíritu de la época, un cambio del que cobró conciencia el escritor y que quiso traducir en una forma lingüística forzosamente nueva» («Lingüística e historia literaria», 1948).

Más aún: dejó de llamar «estilística» a su crítica y en cambio prefirió dedicarse a lo que definió como «semántica histórica»: un ejemplo, su rastreo de la palabra 'Stimmung' —en la que vio la vieja raíz de la idea de la armonía del mundo— dentro del cuadro mundial de la cultura (*Classical and Christian Ideas of World Harmony*, Baltimore, 1963).

Spitzer no creía en un método spitzeriano. Su método era, en el fondo, una experiencia literaria vivida y consciente de sí misma. Tan consciente, que Spitzer ha podido trazar su propia trayectoria con páginas autobiográficas, autocríticas y polémicas que indicaremos en la bibliografía final. De tan personal, ese método no se podría transferir y, en el mejor de los casos, ayuda a los estudiantes a enriquecer su percepción de una obra artística. Spitzer penetraba intuitivamente en los textos, y lo demás lo daba el talento, la educación filológica, el trabajo de lecturas y relecturas infatigables. No creía posible formar discípulos, pero los tuvo.

Entretanto, la escuela estilística ha seguido trabajando a veces con otros maestros. En general la estilística no se propone explicar, sino describir. No nos da el *porqué* de una obra, sino el *qué es* y *cómo* está constituida. Ya se ha visto que esto no supone separar la obra por un lado y el escritor por el otro. De las circunstancias biográfico-histórico-social-psicológicas, a la estilística le concierne lo que desemboca en la procesión creadora del arte. O sea, la transmutación de vida en poesía. No creer, pues, que la estilística es anti-histórica. Abraza todo: la vida del escritor, su ambiente, su educación, sus ideas. Pero el foco de atención es la engendradora energía de un escritor: qué es lo que hace con todo lo que entra en él. Lo objetivo del método está en la cubicación de su lenguaje, que es el *medio* de la expresión.

La estilística requiere intuición (para valores estéticos, para los modos de actuar de la fantasía, para simpatizar con el autor, etc.) y un saber profesional de la lengua (el estado de la lengua, dentro del que el escritor abre nuevos caminos).

El método indagatorio de la estilística procede con un combinado movimiento centrípeto y centrífugo.

1) En un movimiento centrípeto, desde los elementos exteriores hacia los interiores, desde el «significante» al «significado», estudia las formas estilísticas que aparecen en un escritor y compara los usos de dicho escritor con los de otros escritores que le preceden o le siguen.

2) En un movimiento centrífugo, de dentro afue-

ra, de la conciencia al signo, estudia el sistema de exteriorizaciones de que se vale un escritor para poner en resalto su originalidad. Nos da una exposición de los recursos idiomáticos de que dispone determinado autor para su expresión individual.

La estilística puede analizar rasgos aislados en la expresión individual y en la expresión colectiva. Por ejemplo: los procedimientos de la metáfora, la alegoría, la simetría, el monólogo interior; la vivacidad del humor, la fantasía, el dinamismo de la narración, la experiencia del tiempo en los modos verbales; las perspectivas desde las que los personajes de novela ven la realidad en el juego de la acción; el impresionismo y el expresionismo; las sutiles alusiones; los ritmos del habla; la realidad representada, la arquitectura racional, el uso caprichoso de las posibilidades idiomáticas, las disonancias entre las categorías gramaticales y las psicológicas, etc. Pero lo que en el fondo le atrae no son los rasgos sueltos —aunque su oficio es puntearlos, uno a uno— sino la correlación entre la concepción del mundo de un escritor y su estilo, especie de armonía preestablecida entre los elementos y el conjunto, entre el conjunto de la obra y los principios formativos, entre estos principios y una insobornable visión estética.

La estilística se alimenta de una filosofía idealista. Los teóricos que más han influido en la formación de la estilística hispánica han sido Croce, Vossler, Spitzer. Y, en español, los amigos Dámaso Alonso y Amado Alonso, quien fue el primero en analizar estilísticamente textos de nuestra literatura con una plena conciencia de los alcances del nuevo método. Cuando Amado Alonso estudia lo que hay de fantasía, de emoción, de voluntad o de gesto estimativo en los diminutivos, en el artículo o en los verbos de movimiento del castellano está haciendo estilística de la lengua. Cuando, con ese instrumental técnico, sorprende el goce creador en los usos del castellano que hacen Valle Inclán o Güiraldes, está haciendo estilística del habla. El método estilístico hunde su escalpelo en el habla: el lado individual, afectivo, valorativo, imaginativo, expresivo y lírico de la lengua. Cada palabra es *significación* (referencia lógica al objeto) y *expresión* (indicio de la realidad psíquica del hablante). El método estilístico no deja piedra por mover en la busca de estos indicios expresivos. «Nuestro punto de partida es —dice Amado Alonso— que si cada expresión idiomática tiene una significación fijada por el idioma, tiene también un complejo de poderes sugestivos, fijados por el idioma». Del conocimiento especializado de los valores extralógicos de la lengua se pasa al análisis de los valores expresivos del habla en una obra, en un autor o en una constelación de autores afines. Amado Alonso recalca, con personal fuerza, en un aspecto de la estilística que otros desatienden: el de que el estudio interpretativo de la literatura debe encaminarse a obtener el pleno goce estético. «Nunca me parece poner demasiado énfasis —dice— en un aspecto de la obra literaria que la crítica ha descuidado siempre: que eso que el poeta ha ido haciendo, lo ha hecho con el acicate de un placer estético. Que el placer estético de ir haciendo la obra literaria entra constitutivamente en la obra misma, y que, en el terreno estrictamente poético, ese placer estético es la última y fundamental justificación. La crítica tradicional se ha conformado con dar por supuesto el goce estético en toda la obra de arte; pero no ha contado con ello concretamente para el análisis y valoración de cada obra»; «la estilística se ocupa primordialmente de ese goce estético, motor principal en la creación literaria»; «el mejor estudio estilístico consiste en soplar en esos rescoldos de goce objetivados en la obra literaria para hacer brotar de nuevo 'la llama que arde con apetito de arder más' [San Juan de la Cruz]»; «todas las rebuscas y todos los estudios técnicos de la estilística están en última esencia al servicio de esta misión. Todo se reduce, como programa, a apoderarse del sistema expresivo de un poema o de un autor para llegar al íntegro goce estético»[28].

Transición

Así como al despedirnos de los métodos que explicaban la actividad creadora señalamos unos tránsitos que conducían a métodos para analizar la obra creada, ahora, al despedirnos de estos, señalamos otros tránsitos que nos conducen a los métodos de que se valen ciertos críticos para recrear la obra que leen. Porque lo cierto es que, para quien le guste pasear, no hay diferencia entre los métodos, que son caminos, y los tránsitos, que también son caminos. Y muchos especialistas en el análisis de la obra, mientras creen aplicarse objetivamente al tema, a la forma o al estilo, están desviándose hacia una crítica subjetiva. María Rosa Lida de Malkiel, a quien destacamos por el rigor intelectual de sus investigaciones temáticas, ha dicho: «¿Cómo creer en la objetividad impasible del crítico literario? Yo lo siento atraido al autor que estudia por admiración y simpatía (que no implican comprensión) y también por la antigua vanidad de arrimarse a beber de fuentes intactas y a coger flores desconocidas»[29].

C. LA RE-CREACIÓN DEL LECTOR

Esta crítica —así la definimos al comenzar el capítulo— examina preferentemente lo que el lector recibe de la obra: es decir, la relación obra-lector, no la rela-

[28] Amado Alonso, *Estudios lingüísticos. Temas españoles* (Madrid, 1951); «La interpretación estilística de los textos literarios» (en *Materia y forma en poesía*, Madrid, 1955).
[29] «Contribución al estudio de las fuentes literarias de Jorge Luis Borges», *Sur*, Buenos Aires, 213-214 (julio-agosto de 1952).

145

ción escritor-obra (ni dentro de una obra, la relación forma externa-forma interna).

Sí, es útil avizorar la génesis de la obra y la obra misma, dicen estos críticos. Pero allí —agregan— no termina el proceso literario. El escritor somete su obra a la contemplación de los lectores y son los lectores quienes cierran el circuito y dan sentido final a la literatura. El crítico es uno de estos lectores. Es un lector especializado que enseña a los demás el arte de leer. El crítico, pues, se pone en el punto de llegada de esa corriente de expresión que nació de un hombre y su circunstancia, se encauzó en las formas de una obra, salió de ahí y ahora, al reaparecer idealmente transfigurada en la conciencia de quien lee, pide que se la juzgue.

Un crítico que se ha dedicado casi exclusivamente a explorar qué es lo que el lector recibe de la obra es Ivor Armstrong Richards. Una obra es para él un vehículo que transfiere un valioso estado de ánimo del escritor al lector. La descripción de la obra es pura técnica; en cambio, la crítica es descripción de procesos psicológicos. La crítica da cuenta del proceso psicológico de la «comunicación» y del proceso psicológico del «valor» [30]. Gracias al poder de comunicación de una obra, el lector vive una experiencia similar a la experiencia del escritor. Ahora bien: el lector siente apetencias y aversiones. Valioso es todo lo que satisface las apetencias. A veces no se satisface un deseo porque las consecuencias de satisfacerlo implicarían la frustración de otros deseos aún más importantes Impulso importante es el que menos desperdicia nuestras posibilidades. Por vivir en un orden social hay que sacrificar a la moral establecida ciertos impulsos. La literatura influye sobre las mentes y así facilita el ajuste de los valores a las condiciones cambiantes de

---

[30] I. A. Richards, *Principles of literary criticism,* London, 1924.

la vida colectiva. Una obra vale si está a la altura de nuestra mente o mejora el nivel de organización en que vivimos. El criterio de valor no depende, pues, del mero placer que obtengamos durante la lectura, sino de la amplia coordinación en el sistema nervioso —coordinación por lo general no consciente— de nuestros impulsos hacia la libertad y la plenitud de la vida. La literatura puede ser clasificada según el valor de los estados de ánimo que su lectura nos suscita. Y, para Richards, la tarea primordial de la crítica es mejorar la recepción que el lector da a la obra. De aquí su *Practical Criticism* (1929), que consiste en investigar experimentalmente las diferencias con que gran cantidad de personas reaccionan ante el mismo texto. Su base es psicológica y su ápice es pedagógico. Trata la literatura como a cualquiera otra forma de comunicación, como a un producto natural sin valores misteriosos. Su conclusión es poco conclusiva: una obra nos obliga a un orden, pero no es un orden necesario, puesto que en el fondo vivimos nuestra propia vida mientras leemos. Es verdad que Richards agrega que un poema es «la experiencia de un buen lector», pero como no define qué es ser buen lector, se queda en una posición relativista: no hay juicios, sino impresiones.

Otros críticos —como Paul Valéry— han insistido en la independencia entre la producción y el consumo de la obra. La obra es el término de la actividad del escritor y el origen de la actividad del lector. Fuera de estos dos sistemas de actividad, la obra, como mero objeto, pierde su dignidad de fenómeno espiritual y carece de valor. Solo que para Valéry el lector pierde su libertad y goza de la delicia de sentirse cautivo dentro de un orden admirado: porque la obra tiene como efecto el crear en el consumidor un estado de ánimo análogo al estado de ánimo inicial del productor. Sin duda pueden manifestarse divergencias entre las interpretaciones del mismo poema —sigue Valéry— pero «la posible diversidad de los legítimos efectos de una obra es nada menos que la marca del espíritu. Tal diversidad corresponde a la pluralidad de vías que se le ofrecieron al autor durante su trabajo de producción. Todo acto espiritual está siempre como acompañado de cierta atmósfera de indeterminación más o menos perceptible» [31]. Valéry afirma la discontinuidad entre autor, obra y lector; entre emoción y forma; entre poesía e historia. Un poema es una impersonal, pura y absoluta unidad de sonido y significación.

En cambio, los críticos que ahora vamos a ver proclaman los derechos del lector a valorar las resonancias que la lectura le despierta, su libertad para moverse por las indefinidas sugerencias que se le ofrecen y para interpretar lo que a él le toca. El método para formular un juicio sobre esa imagen que el lector se ha hecho de la literatura puede ser dogmático, impresionista o revisionista.

1. *Método dogmático*

Críticos dogmáticos son los que juzgan con un criterio ya establecido, fijo, inflexible y autoritario. Tienen fe en ciertos principios de belleza y con un solo atisbo comprueban si han sido realizados. Es evidente que están admirando el valor, no en una obra, sino en una esfera estática. En todo caso, lo que admiran es el reflejo, en una obra dada, de valores consagrados antes de que se la escribiera. Lo bello está para ellos fuera de la actividad estética. Desciende el valor de un cielo eterno y entra en una obra: los críticos sorprenden esa gloriosa visita y celebran la hospitalidad que la obra le da. Más fácil es que censuren. Censuran a Neruda porque es Neruda. En el fondo le censuran

---

[31] Paul Valéry, *Introduction a la Poétique*, Paris, 1938.

que no sea otro poeta. ¿Quién? Ah, los censores no lo sabrían decir. En el trasfondo de tales censuras los dogmáticos van dejando la impronta de un gran escritor... que no existe ni puede existir pues es apenas la suma de sombras de ideas. Parecen poner de modelo obras del pasado; en realidad sueñan en una obra futura que nunca se escribirá. Los críticos dogmáticos que la entrevén entre sueños, se sienten un poco dueños de ella y la prefieren a la que tienen al frente. Son, en cierta manera, artistas que no pueden salir de sí mismos (en esto se parecen a los impresionistas) y en vez de acatar las formas diferentes de expresión reaccionan contra lo que leen, se apoderan de la obra ajena y quieren modificarla de acuerdo a sus propios ideales de arte.

Críticos así los ha habido siempre. Y hasta hubo largos periodos históricos —el clasicismo, verbigracia— en que se ponderaba el valor de las obras según que obedecieran o no los modelos, los preceptos, las leyes de un género literario y las autoridades de una edad de oro. Hoy a nadie le gusta admitir que está uncido a la autoridad. Sin embargo, ya se sabe que el zorro pierde el pelo pero no las mañas; y la actitud dogmática, aunque los dogmas cambien, en el fondo es la misma. Se la reconoce cuando el crítico decide atropellar al autor, colarse en su obra como en su propia casa, erigirse en guía y hacer funcionar su oráculo. Antes se formulaban las leyes de un género o de un siglo áureo y si un escritor no parecía cumplirlas quedaba condenado. Ahora los dogmáticos hacen lo mismo en nombre de otros dogmas: el genio nacional, el espíritu de nuestro tiempo, las consignas de un movimiento político, la teoría de qué es o debe ser el hombre, etcétera. Así vemos a críticos que se indignarían si se oyeran llamar dogmáticos que en un platillo de la balanza ponen a un escritor y, en el otro, una idea. Para el socialista Sartre no puede ser grande un escritor que, como Flaubert, no se conmovió ante la represión de la Comuna de París. Para el católico Du Bos es una lástima que Thomas Hardy no concibiera la eternidad divina. El anti-modernismo de Unamuno le impidió apreciar a Rubén Darío, y el modernismo de Juan Ramón Jiménez le impidió apreciar a Pablo Neruda. Juzgan la aventura en nombre de un orden. Los críticos dogmáticos no se percatan de que sus dogmas son preferencias personales, percepciones parciales y deformantes, juicios de probabilidad, más hipotéticos que sentenciosos.

2. Método impresionista

Una obra literaria —dicen los críticos impresionistas— existe como experiencia de un lector. La reevocamos en nuestra mente; así, la obra se identifica con este proceso mental. Sin duda cada persona, según su idiosincrasia, su educación, su estado de ánimo, colorea libremente la obra leída. Más: una persona, al leer dos veces la misma página, puede cambiar en su apreciación. Hay, pues, tantos *Don Quijote* como lectores, y en la vida de un lector hay tantos *Don Quijote* como lecturas hace. A primera vista parecería que el método impresionista consiste en no tener método; pero método quiere decir «camino», y todo hombre que camina es metódico en el camino que eligió, por irregular que parezca a quienes viajan por otros terrenos. Las opiniones sobre una obra leída valen lo que vale quien opina. No es un método neutro, puesto que el crítico impresionista toma partido por sus opiniones y se juega entero. Tampoco es siempre de principiantes o espontáneos: a veces se practica el impresionismo en los últimos años de una larga carrera de estudio y disciplina.

Oscar Wilde definió la crítica como «una creación

dentro de otra creación». El crítico ve en la obra de arte lo que la obra no es y revela lo que el artista nunca puso en ella. En vez de interpretar objetivamente la obra —o sea, en vez de «repetir en otras palabras el mensaje que le dictan»— el crítico ahonda en su propia subjetividad, busca por su cuenta la belleza y nos da «la única forma civilizada de autobiografía, esa que registra, no los acontecimientos, sino las impresiones de su vida» [32]. Anatole France acuñó su propia definición: «Buen crítico es quien cuenta las aventuras de su espíritu a través de las obras maestras» [33]. Pero el impresionismo no siempre nos da reacciones espirituales: a veces nos las da meramente fisiológicas. No sin cierto humorismo A. E. Housman [34] ha dicho que él reconoce la poesía por los síntomas físicos que produce: «un síntoma está acompañado por un escalofrío; otro consiste en sentir que la garganta se hace un nudo y los ojos empiezan a lagrimear; un tercer síntoma se da en la boca del estómago». A esta clase de crítica pertenecen los que creen que una obra es estimable según el llanto o las carcajadas que nos produzca. Pero esos síntomas, que también aparecen ante obras execrables, no significan nada estético. Para los hedonistas la medida del valor de una obra está en el placer que nos da. «Me gusta», «no me gusta»; y de esos sentimientos orientados, no hacia lo bello, sino hacia lo agradable, sale una crítica llena de peligros. Un peligro: que el hedonista, si no tiene educación histórica, pueda pasar de lado, con indiferencia, ante obras maestras. Otro: que el hedonista, en vez de comprender una obra tal como se ha dado en la historia, la suplante por otra que él se está inventando para su propio regodeo.

[32] Oscar Wilde, «The Critic as Artist» (en *Intentions*, 1891).
[33] Anatole France, *La Vie Litteraire*, Paris, 1888, prefacio a la primera serie.
[34] A. E. Housman, *The name and nature of Poetry*, Cambridge, 1933.

A veces la reacción impresionista es menos estéril, más compleja. Avistar el valor de una obra excita la sensibilidad, la fantasía, la inteligencia, la voluntad del crítico, quien se pone a hablar de sí. El crítico se abraza al poeta y canta con él. Hay ahí, sin duda, una falta de cortesía. El crítico, por lo visto, se pone a continuar la obra, como si no estuviese acabada y perfecta. Cree que una obra existe en el lector, y que por tanto crece cuando ese lector, elocuentemente, aprovecha un texto ajeno para expresarse. Con esta actitud, que no se rinde al éxtasis ante la belleza, sino que quiere seguir haciendo literatura, Azorín, por ejemplo, suele escribir páginas inspiradas pero no perspicaces. Sin duda es interesante oír qué es lo que las personas inteligentes y literariamente educadas tienen que decir sobre un libro. Es como la crónica de un viaje de ida y vuelta. De la Vida a la Literatura, de la Literatura a la Vida. En estos casos los textos de un escritor son pretextos para que otro escriba [35]. Así y todo pensemos en lo que el impresionista desecha en un costado. Un poeta, con toda intención, ha procurado expresarse, y a su tentativa, más o menos potente, la tenemos ante los ojos, en forma de un poema. Un poema: quiere decirse, la tendencia de una estructura lingüística a valer estéticamente. Lo leemos con amor. Lo gustamos, lo admiramos. Ahondamos en nuestra fruición. En nuestra conciencia el poema despliega su sentido. Pero si nos detenemos aquí —que es lo que hace el impresionista— suprimimos el enlace objetivo entre nuestra admiración y el poema que la suscita. Ensimismados, columbramos nuestra vida sentimental, pero, a través de nuestros sentimientos, no columbramos la estructura de la obra. Que los sentimientos han sido en parte suscitados por el poema, no hay duda. Pero ¿qué vínculo es ese? Si, como el impresionista,

[35] André Gide, honradamente, llamó *Pretextes* a una de sus colecciones de crítica.

nos contentamos con el efecto de la lectura sin interrogar la causa que está en el poema; si damos autonomía a nuestra reacción de manera que no importa qué estructura la produjo; si, en una especie de diálogo disparatado, nuestra respuesta no tiene ilación con lo que el poema dice, nos hemos quedado afuera, en los jardines de lo psicológico, no en el palacio de los valores. «Sobre gustos no hay nada escrito», dice el impresionista. Lo que supone negar la autoridad de los valores, la realidad objetiva de una serie de palabras que el lector no ha escrito. Los mismos impresionistas no son igualitarios: una cosa —dicen— es que Jorge Guillén lea a Becquer, otra que lo lea la sirvienta. Pero no es suficiente la calificación política del sufragio entre lectores competentes e ingenuos. Se necesita asimismo una calificación ética de los criterios: la poesía puede generar muchos sentimientos, pero no todos los sentimientos hacen justicia al poema.

3. *Método revisionista*

Hay críticos que prefieren revisar los valores literarios: es decir, iluminarlos a la luz del presente. Puesto que la obra, una vez producida, pertenece a quien la lee, es legítimo que el lector la traiga a su propia vida y la vislumbre de hito en hito. El anacronismo de aplicar criterios de hoy en obras de ayer no les arredra. Estos críticos creen que las obras, por aspirar a ser eternas, tienen que resistir la prueba a que el gusto de cada época las somete. No basta tener entre ceja y ceja el propósito del novelista ni saber si satisfizo a sus contemporáneos: ahora hay que rever si nos sigue satisfaciendo. Está bien viajar al pasado para valorar, allí, en su momento histórico, lo que significó una obra, siempre que a continuación retornemos a nuestro siglo XX y asumamos la responsabilidad de juzgar como hombres de hoy. Nada ganaremos con empeñarnos en dejar de ser lo que somos. Somos hijos de esta época, y como tales vamos a participar en la literatura de todos los tiempos. Esto no significa menoscabar la obra del pasado. Solo decimos lo que significa, vitalmente, para nosotros. Además, es posible que coincidamos con el juicio que se dio antes; y hasta es posible que, al revisar esos juicios, hagamos justicia a obras maltratadas por sus contemporáneos. Si, por el contrario, el remirar no favorece a la obra, hay que tener la osadía de la irreverencia. Después de todo, la literatura reclama universalidad y, por lo tanto, debe merecerla en renovadas batallas con el cambio del gusto. Ni el relativismo de quienes refieren una obra a sus circunstancias inmediatas, ni el absolutismo de quienes la toman como expresión de una inmutable naturaleza humana, sino un perspectivismo que permita, en cada generación, balconear la literatura y decirnos sinceramente qué es lo que ve.

Los críticos revisionistas, pues, interrogan cada obra, cada autor, para averiguar si, además de haber respondido a su tiempo, saben responder al nuestro. En general estas revisiones surgen del conflicto entre las generaciones y se ventilan en el campo de la polémica. Nos dan alzas y bajas, y así obligan al historiador a abrir los ojos y a admitir que la literatura no es una materia consagrada, sino una viva corriente de valores en discusión. Aun el tradicionalista y conservador T. S. Eliot ha dicho que «de vez en cuando —digamos, cada cien años, más o menos— es deseable que aparezca algún crítico para revistar el pretérito de nuestra literatura y colocar los poetas y los poemas en un nuevo orden» [36]. Quien ha tratado de hacerlo es Yvor Winters, que no teme zaherir figuras del pasado norteamericano, como las de Melville, Poe o Henry

[36] T. S. Eliot, *The use of Poetry and the use of Criticism*, 1933.

James, para hacer lugar a otras que él reputa más. Winters es más asiduo en la revisión de los escritores de su edad o más jóvenes. Y es que, este puro impulso estimativo, desnudo de historia y de filología, hace mejor papel en la crítica a los contemporáneos. Aquí los críticos no son solo revisionistas, sino también descubridores, y se arriesgan en la más difícil de las tareas: juzgar lo nuevo. Desconfían de quienes dicen tener en aprecio a Sor Juana Inés de la Cruz, pero no se atreven a ensalzar el primer poemario de una poetisa desconocida. Claro que les falta la perspectiva que solo da la distancia, pero en cambio les sobra un conocimiento total del mundo de donde surgen los nuevos escritores. Son compañeros de viaje, rigurosamente contemporáneos, que gracias a todos los sobreentendidos comunes cazan al vuelo la menor intención. Cazadores en el alba. Se equivocan [37], pero cuando aciertan enriquecen los cuadros de la literatura. No esperan el veredicto de los demás: ellos dan un paso al frente y nos ofrecen el juicio propio. Se ponen en la puerta de la historia y sorprenden ese instante en que los nuevos franquean el umbral. Más: los descubridores son quienes ayudan a los nuevos a entrar en la historia de la literatura. Son críticos de la simpatía, de la intuición. Crítica esencialmente estimativa.

Todo está muy bien: pero que el crítico no olvide que es un crítico, no un poeta. Un poeta superrealista está en su derecho si escribe sin leer a Garcilaso: el crítico que leyera al superrealista pero no a Garcilaso, haría el ridículo. Aunque no se viaje, hay que saberse el mapa. Una inteligencia sin un marco de referencias no es inteligencia. Cuando la crítica a los contemporáneos se ablanda, acaba por descubrir un genio por mes. Y aun a varios por mes, pues, de miedo a perder,

---

[37] Henri Peyre, *Writers and their critics. A study of misunderstanding* (New York, 1949): es una compilación de los errores cometidos por los críticos de todas las épocas al estudiar a sus contemporáneos.

apuesta a todos los números en la rueda de la fortuna. Imaginemos la crítica como una bolsa de valores donde las acciones de los poetas suben o bajan, de acuerdo con la plática de unos críticos revisionistas reunidos en una tertulia cualquiera: ¡el joven Borges arroja al mercado, como de poco valor, acciones de Lugones, y años después las vuelve a comprar, caras! Unos pocos poemas nos da un verdadero poeta, y solo dos o tres verdaderos poetas ofrece cada generación. La crítica que elige contemporáneos y se dirige a contemporáneos debería curarse los ojos consultando de vez en cuando las antologías del último siglo, llenas de nombres hoy olvidados y vacías de nombres hoy recordados. Con todo, el crítico revisionista cumple con ciertas funciones proféticas. Conoce, como el escritor, las exigencias de su época y, como el escritor, anda unos pasos por delante de la sociedad: por eso puede prever las formas futuras que el escritor, todavía en silencio, ha empezado a crear, en secreto. En este sentido el crítico es el primer testigo de cómo los escritores toman conciencia de las exigencias de su época y la traducen en esta actividad especial que llamamos «literatura».

Transición

De los métodos críticos que explicaban la actividad creadora pasamos, mediante suaves transiciones, a los métodos que analizaban la obra creada, para en seguida pasar de estos, por otras suaves transiciones, a los métodos de ciertos críticos que intentaban recrear en su ánimo la obra que estaban leyendo. Ahora, por transiciones no menos suaves que las anteriores, cerramos el círculo y vemos cómo los críticos, por dogmáticos, impresionistas o revisionistas que sean, no se limitan a reaccionar espontáneamente ante una obra dada sino que echan un vistazo a su génesis, o sea, a la actividad creadora tal como la explican la historia, la sociedad y la psicología Con lo cual volvemos a donde estábamos al empezar.

En primer lugar, el lector sabe que aun sus reacciones más espontáneas salen de un fondo psicológico, social e histórico. ¿Método impresionista? Tal impresión revela, sí, el carácter de quien está reaccionando ante un texto, pero también su afinidad con el carácter de quien escribió ese texto: el crítico, por curiosidad, ha relacionado su autobiografía de lector con la biografía del escritor y ya en este camino llega a comprender el proceso psicológico de la creación de una obra. ¿Método dogmático? Tal actitud dogmática maneja un código sancionado por una sociedad determinada: el crítico, para justificar sus dogmas, suele hacer sociología del gusto. ¿Método revisionista? Tal revisión de valores dimana de una conciencia que percibe agudamente los cambios, de generación a generación: el crítico suele fundar sus juicios en una dialéctica histórica.

Tres testimonios para probar lo dicho:

El impresionista Jules Lemaître: «Conviene que abordemos con espíritu de simpatía a aquellos de nuestros contemporáneos que no están por encima de la crítica. Deberíamos ante todo analizar la impresión que recibimos del libro y después la impresión que el escritor recibió de las cosas. De este modo se identifica uno completamente con el escritor a quien se estima y se llega a perdonar sus faltas». (*Les Contemporains.*)

El dogmático Pierre Lasserre se propuso, en *Le romantisme français,* denunciar la culpabilidad de Rousseau y sus seguidores en la «ruina del individuo» y en «la desorganización de la naturaleza humana civilizada», pero sus denuncias suponían un estudio previo de la sociedad y la política desde el punto de vista del nacionalismo francés.

El revisionista Paul Souday se dedicó a la crítica de los contemporáneos: «el crítico debe revisar los juicios del público sabiendo que la posteridad ha de revisar los suyos». Pero esta función, agregaba, implica un conocimiento de toda la historia: «La literatura es la conciencia de la humanidad; la crítica es la conciencia de la literatura.»

En suma: que los lectores que nos hablan de sí también se fijan en la actividad creadora de un escritor en su sociedad, a cierta altura de la historia. Volvemos así al punto de partida; y este ejercicio en vueltas —un «eterno retorno» modesto, pero que no por eso nos deja menos perplejos— sirve para no tomar muy en serio la clasificación de métodos críticos que en este capítulo acabamos de proponer, demasiado simétrica —tres, tres, tres— para ser verdadera.

CAPÍTULO V

LA CRÍTICA INTEGRAL

A. LA CRÍTICA Y LOS CRÍTICOS

A lo largo de este compendio no nos hemos cansa-
do de repetir que toda clasificación es insuficiente, y
que no hay en realidad un crítico que se constriña a
un solo tipo, a un solo método. Todas las disciplinas
intercambian sus resultados cuando es un buen crítico
quien está estudiando la literatura; todos los tipos
se mezclan cuando es un buen crítico quien la está juzgando. También hemos dicho que no hay un tipo de
crítica que sea superior a otro. El decir que tal crítica
es externa, que tal otra es interna, es pura metáfora.
Más bien habría que hablar de críticos superficiales y
críticos profundos. Se puede ser superficial en el ejercicio de la llamada crítica interna: por ejemplo, en el
análisis de una metáfora. Y, por el contrario, se puede
ser profundo en el ejercicio de la llamada crítica externa: por ejemplo, en el análisis del ámbito social
desde el que el poeta lanzó la metáfora. El crítico profundo no se dejará clasificar fácilmente por la sencilla
razón de que, para penetrar en una obra, cultiva todas
las disciplinas y esgrime todos los métodos de asedio.
Cuantos laboran en la literatura son como obreros que
van excavando túneles. A golpes de piqueta se van
acercando, ya se oyen las voces y a veces acaban por
derribar el último tabique y fraternizan y se confunden. Por la naturaleza de nuestro libro hemos hablado
hasta ahora de una genérica crítica. Pero la crítica no

11

existe: quienes existen son los críticos. La crítica es algo que hacen los críticos. Y los críticos son criaturas de carne y hueso, metidas en el escenario de su país y de su época, pero tan inteligentes, imaginativas y curiosas que saben ajustar sus métodos a las peculiaridades de cada obra literaria. Los críticos de quienes hemos hablado eran más bien entes abstractos. Tipos, no hombres. Los hemos inventado para satisfacer ciertas definiciones. Especie de espantapájaros o de estafermos que levantamos para darnos el placer de derribar luego a golpes. O, al revés, arquetipos soberanos que guían nuestra voluntad con lo que debe ser más que con lo que es. Pero ahora quisiéramos pasar por el taller de un gran crítico contemporáneo para ver cómo en los principios que ordenan su trabajo queda integrado todo el saber literario. Sea Benedetto Croce.

B. UN EJEMPLO DE CRÍTICA: CROCE

Una vida tan intensa como la de Croce, dedicada a la construcción de un sistema filosófico, a la erudición histórica, a la crítica de varias literaturas, a la polémica y al constante reajuste del propio pensamiento no puede reducirse a esquemas. Croce no era crociano: era Croce. Los crocianos suelen separar, por un lado, la comprensión de la poesía tal como se da en el lenguaje individualizado de una obra concreta que hay que analizar monográficamente, y por otro lado, la síntesis histórica que explica la poesía como manifestación de la sociedad; pero Croce, atento a la unidad de los múltiples componentes de la obra de arte, mostraba sus nexos y afirmaba que en cada instante creador está presente toda la historia y que el uso de una sola categoría implica todo el sistema de categorías críticas. Los crocianos, creyendo que la pregunta de Croce: «è questo poema poesia o non poesia?» obliga a usar filtros, pueden perder el tiempo en una subdivisión de momentos poéticos y momentos no poéticos; pero Croce, que por unilateralidad polémica había hecho eso en *La poesia di Dante,* después advirtió a quienes lo interpretaron mal que «el arte supone el hombre entero ... y no se puede tener a Dante sin toda su teología, su política y sus pasiones» (*Letture di poeti*). Y así en casi todos los puntos. Croce, en verdad, enseñaba con el ejemplo. Trataremos, pues, de reconstruir la teoría y práctica de la crítica que llevó a Croce a escribir monografías y síntesis históricas. No nos referiremos a ningún trabajo en particular. Vamos a imaginarnos a Croce en actitud crítica, y al imaginarlo estudiando, pongamos por caso, a Dante, no aludiremos a *La poesia di Dante,* que es de 1921 y, según acabamos de decir, fue unilateral y polémica, sino a otro libro posible sobre Dante.

Lo que nos interesa es el programa crítico de Croce, que se apoya en la filosofía idealista de su estética: o sea, en la premisa de que intuición es expresión y, por tanto, una obra de arte es un fenómeno mental. Igual que la mente, la obra es indivisible. «Forma», «fondo» no son divisiones, sino términos que hay que usar uno en función del otro: el arte es fondo con forma o forma con fondo, así como el sentimiento está figurado y la figura se siente. Igual que la mente, la obra es inclasificable: por ser única no cabe en categorías lógicas o históricas. Juzgar si una obra es o no es poesía es la responsabilidad del crítico: toda otra consideración es exterior al arte mismo. Idealismo radical que descarta la retórica, la técnica, los géneros, los medios materiales de las distintas artes, la sociología, la biografía, etc. Lo que importa, para Croce, es definir la intuición-expresión de un autor concreto, unificada en una obra única.

El genio produce su literatura; y el gusto es nuestra actividad para reproducirla. Si podemos hacerlo es porque «genio» y «gusto» son, en esencia, identificables. Claro que Croce no es idéntico a Dante, pero, cuando lo lee, se eleva a su altura, se agiganta, participa de la universalidad de su espíritu, vibra con él y se identifica con él. Esta gozosa contemplación de la *Commedia* supone una sensibilidad estética. Sensibilidad que recrea lo creado y se representa no solo la lucha triunfante del genio para expresarse —que es el fundamento del placer de lo bello—, sino también su lucha perdida por inercia del espíritu —que es la causa de la fealdad—. Juntamente con esta re-evocación por la sensibilidad y el gusto hay un trabajo de exégesis. Con todos los utensilios eruditos, con todas las disciplinas disponibles —historia, sociología, filología, psicología— se recobra la *Commedia* del pasado, se la limpia y se la bruñe hasta que reluzca en nuestra conciencia como relucía en la de Dante. Gusto, exégesis, sin que uno sea anterior a la otra. Solo ahora está preparado Croce para formular el juicio crítico, que es el reconocimiento intelectual del carácter artístico de una obra históricamente existente. El juicio abraza todo el proceso de la creación literaria. Ya no hay ni una actividad de parte del escritor ni una obra creada ni una recepción en el lector: hay una unidad, ante la que el crítico nos dice si es o no poesía, si entra o no en la categoría de la belleza. Antes el gusto intuía el valor literario en la vida de nuestros sentimientos: en tanto sensibilidad, el gusto era suficiente. Pero ahora el juicio no es una intuición, sino una forma lógica: por darse en el círculo del raciocinio es susceptible de rectificaciones. El crítico, pues, se ha remontado a otra esfera del espíritu —la verdad—, tan digna como la esfera del gusto —la belleza—. Faena del crítico será, pues, igualar la particular intuición poética de la obra con la categoría universal de la belleza; darle a la obra un predicado conceptual. El gusto, como re-evocación de la obra, era algo íntimamente vivido y, por tanto, no podía errar; el juicio sí puede errar, porque es un pensamiento que tiene que someterse al criterio de verdad lógica. El objeto de esa forma lógica que llamamos juicio (esto es: la *Commedia*) es históricamente relativo; pero la categoría a que se adscriba tal objeto (esto es: la belleza) es esencialmente absoluta. De aquí la responsabilidad del crítico. Quiere caracterizar la *Commedia:* ¿cómo hacerlo? Las características que generalmente se atribuyen a una obra «sublime, trágica, cómica»; o, «lírica, épica, dramática»; o «poesía popular, poesía culta»; o «clásica, romántica», etcétera no sirven porque, por ser nada más que empíricas, clasifican superficialidades sin nombrar la verdadera categoría de la belleza. Y la dificultad está en que esta categoría es única, indivisible y común a todos los poetas. Cuanto se haga para denominarla resultará en una monótona sinonimia, como «sinceridad», «armonía», «intensidad lírica», «delicadeza», «originalidad», «visión profunda», y así indefinidamente. El crítico, pues, para caracterizar una obra debe prestar atención al sinuoso movimiento de su plenitud lírica; debe prestar atención a esas caídas en que la poesía se degrada en mera literatura; y, en esta literatura, bella pero no poética, debe prestar atención a su contenido sentimental, intelectual o volitivo tal como se reviste en la confidencia, el discurso prosaico, la oratoria o el juego ameno. Para caracterizar la *Commedia* Croce se pone, pues, a precisar su contenido, su sentimiento, su fisonomía, su motivo generador. ¿Cómo? Hay que hallarle a ese contenido la horma humana que le conviene. Sobre tal contenido debe plegarse la forma de vida, la suerte de hombría, el tipo de ánimo que le sea más allegado y amoldable. Porque el crítico, que conoce el corazón del prójimo y ha meditado sobre la diversidad de las gentes, corta del paño de su propia filosofía una clase humana para vestir a medida la obra que está caracterizando. Comprende a Dante en su extraordinario temperamento poético, en su capacidad de pensamiento, en la vehemencia de su pasión moral y religiosa, en su solicitud por el gobierno de la sociedad y el destino de cada prójimo, en su ambicioso plan para convertir toda su vida en poesía. Al juzgar su *Commedia*, o sea, al insertarla en la categoría de belleza, Croce va observando cómo lo íntimo de Dante se hizo poesía, pero lo conceptual (ciencia, filosofía) y lo práctico (oratoria, sátira) quedaron al lado como no poesía. La estructura es unitaria en su enérgica dialéctica interior, pero una cosa es el intenso canto lírico de Dante y otra la geometría formal de su poema. Ya se ve con cuanta delicadeza, con cuanta penetración debe el crítico afirmar (o negar) la belleza de una obra. ¡Qué satisfacción cuando, al fin, llega a definir el trazo esencial de una obra con una fórmula adecuada! Fórmula que anuncia la inclusión de su representación de la *Commedia* en la clase que mejor le corresponde. Pero ¡ay! tal fórmula es lógica, y la poesía no lo es. Hay, pues, entre la *Commedia* y el juicio sobre ella, un abismo. Intuición pura en la poesía; concepto en la crítica. El crítico quisiera tocar la poesía, que es lo que vale por su belleza; pero por mucho que siga buscando para encontrar la clasificación que se le ciña con más justeza, la poesía permanecerá inclasificable. El crítico discutirá, pues, con otros críticos: a ver quién se acerca más, quién se acerca menos a la huidiza e inasible poesía. Con la poesía misma no discutirá. Sabe que su fórmula crítica no es igual al viviente discurrir de la poesía, y tratará de caracterizar la obra con el mayor respeto. Al caracterizar la obra, es decir, al darle un predicado, al engastarla en una categoría universal, el crítico no nos da las formas de su belleza (puesto que la belleza es una e indivisible) ni tampoco nos da descripciones externas (meros fenómenos gramaticales, retóricos, etcétera) sino la plenitud interior de la obra misma, la vida personal e histórica que allí el poeta hizo cristalizar de un modo estéticamente valioso. Todo lo que haya quedado fuera de la idealidad de la obra, por muy ligado que esté a ella o al poeta o a su época desde otros puntos de vista ajenos a la estética, no es asunto del crítico: lo que el crítico juzga es la génesis y configuración de una obra poética. Después de este difícil esfuerzo para llegar a formular un juicio, el crítico, con la satisfacción del deber cumplido, no solo ha disfrutado la belleza de la obra viva, sino que disfruta el saber cómo la obra está situada en la categoría de la belleza. Podría aquí callarse y guardar para sí ese doble bien: lo bello y lo verdadero. Pero ahora siente una exigencia de índole práctica: comunicar a otros su hallazgo. Y empieza su trabajo de exposición didáctica. Con citas, con paráfrasis, con toda la estrategia de la demostración va recorriendo los caminos que mejor convienen en cada caso. El orden de la exposición no tiene por qué seguir el orden del descubrimiento del valor.

C. ENVÍO

Tales son los principios que informan la actividad crítica de Croce. Repetimos: pudimos haber elegido a otro gran crítico contemporáneo. En cualquier caso tendríamos que terminar con las mismas advertencias. Al describir el trabajo crítico de quienquiera que sea, no tenemos más remedio que descomponer, con un «antes» y un «después», una serie de operaciones que no se dan en realidad en ese orden. Operaciones en constante vaivén (del detalle al conjunto; del conjunto al detalle); coexistentes, no escalonadas en sucesivos planos; subsumiéndose siempre unas en otras, no en desarrollo gradual; operaciones que nacen del talento, del olfato para encontrar una huella; operaciones originadas en mil rincones del alma (en una reminiscencia, en una anécdota, en una corazonada, en una predilección, en un saber previo, en una observación fortuita) que se hacen evidentes al crítico en un solo rapto de síntesis y así le es más fácil ostentar sus hallazgos que enseñarnos las técnicas para imitarlo.

La crítica literaria no es, como se ha visto, una mera opinión (a menos que se quiera llamar opinión subjetiva también a los juicios de la filosofía). Para atrapar el valor de una obra el crítico tiene que acosarlo en un fragoso monte. Interviene en cada frase leída, poco a poco, con todas sus facultades, con todos sus conocimientos. Intuye, percibe, simpatiza, compara, recuerda, sabe, adivina, gusta, piensa, analiza; y la síntesis de todo ese proceso de captación lo lleva al juicio. Por detallado que fuera nuestro relato de esa operación crítica nunca la podríamos revelar. Tampoco el poeta podría revelar el proceso de su creación. Pero el hecho de que las tareas del crítico sean difíciles de fijar, contar, medir y clasificar no quiere decir que sean vagas. El hecho de que los juicios del crítico no se impongan como verdades universales no quiere decir que estén hechos de fútiles experiencias estéticas y valores ilusorios. El hecho de que la ciencia del crítico sea limitada no quiere decir que su solar sea pequeño. Por lo menos lo que hace el crítico no es ni más vago ni más relativo ni más limitado que lo que hacen el filósofo y el científico. El conocimiento de la obra literaria —como todo conocimiento— es de corto alcance. El crítico —como el filósofo, como el científico— se abalanza sobre las cosas que le interesan con voluntad de aprehenderlas. Es un rápido e impetuoso movimiento, del que participan todas las potencias de la personalidad. Movimiento con sentido, pero que no va muy lejos. Es casi un salto. Salto desde la situación en que le ha tocado vivir al crítico hasta la obra litera-

ria a la que se prende, en un abrazo vital y apretado.
De todas las potencias de la personalidad del crítico,
la más locuaz es la inteligencia; y, al hablar, quiere
hacernos creer que ese salto ha sido un largo viaje.
Puño abierto en palma y dedos, abanico desplegado,
cinta métrica extendida, ovillo desdevanado, despere-
zo de acordeón, esto es el salto contado como viaje.
Como el filósofo, como el científico, el crítico quiere
darse el lujo de exponer lógicamente los accidentes del
camino. Pero si interrumpimos su cuento y le pregun-
tamos: «¿adónde quieres ir a parar?», «¿qué es lo que
nos quieres demostrar?», tendrá que confesar que este
largo itinerario que recorre con su lógica es aquel mismo salto que dio para apoderarse del secreto de una
obra literaria. Nuestra capacidad de comprender no es
indefinida, desenvuelta, universal: es un impulso bio-
lógico que nos sirve momentáneamente. Los malentendidos de la crítica —como los de la filosofía, como los
de la ciencia— se deben a que la lógica, no contenta
con aprehender lo que tiene al frente, quiere prolongar
su razonamiento, y así se extralimita y cae en el vacío.
El crítico cogió el secreto de un poema particular, pero
ahora quiere darnos el secreto de la poesía. Se pierde
en la estética. Es como cuando el filósofo fuerza y
rompe su personal concepción del mundo y nos da un
sistema que no puede defender vitalmente; o como
cuando el científico deja atrás sus hechos y se lanza
por el despeñadero de explicaciones metafísicas. No
inculpemos a los críticos, pues, de las fallas comunes
a toda ambición intelectual. El crítico enjuicia el valor estético en la concreta y real estructura lingüística
de una obra dada. La monografía crítica sobre una obra
o sobre un autor, no la reflexión general sobre fórmulas estéticas en abstracto, es su oficio. Mientras lee
vive la experiencia de los valores encarnados en la
página: dar las leyes de esos valores fuera de esa experiencia, no. De experiencia en experiencia va afinando

su percepción, su goce, su cultura, su lucidez en comparar y discriminar, su perspectiva para los valores, su capacidad de formar juicios y de demostrarlos. Consuma así experiencias metódicas. Método empírico, no apriorístico. El crítico no sabe cuáles son los valores abstractos pero, por experiencia, los reconoce en tal obra, en tal pasaje de la obra. Porque los valores no son fantasmas caprichosos es que se nos imponen con regularidad; y el crítico experimentado se lanza hacia ellos como nos lanzamos hacia los objetos reales, temiendo errar en el salto con que ha de abrazarlos, amorosamente.

BIBLIOGRAFÍA COMPLEMENTARIA

I. DISCIPLINAS QUE ESTUDIAN LA LITERATURA

A. El estudio utilitario

Alfonso Reyes, «La función ancilar» (en *El Deslinde*, México, 1944).

Emery Neff, *The poetry of History*, New York, 1947 (La contribución de la literatura y de la erudición literaria a la historiografía, desde Voltaire).

B. El estudio filosófico

Gran parte de las teorías de la literatura se encuentra desparramada por obras de filosofía del lenguaje, de la estética, etcétera. Pero hay libros específicos.

René Wellek-Austin Warren, *Theory of Literature*, New York, 1942.

Thomas Clark Pollock, *The nature of Literature*, Princeton, 1942.

Wolfang Kayser, *Interpretación y análisis de la obra literaria*, Madrid, 1954.

Alfonso Reyes, *El Deslinde. Prolegómenos a la teoría literaria*, México, 1944. Reedición aumentada en Vol. XV de *Obras Completas*, México, 1963.

E. Ermantiger, F. Schultz, H. Gumbel, H. Cysarz, J. Petersen, F. Medicus, R. Petsch, W. Muschg, C. G. Jung, J. Nadler, M. Wundt, F. Strich, D. H. Sarnetzki, *Filosofía de la ciencia literaria*, México, 1946; primera edición alemana 1930.

Herbert Dingle, *Science and Literary criticism* (London, 1949).

Northrop Frye, *Anatomy of Criticism*, Princeton, 1957.

Anatol Rosenfeld, «A Estructura de Obra literaria», *Anais do Segundo Congresso Brasileiro de Critica e Historia Literária*, Sâo Paulo, 1963.

Félix Martínez Bonati, *La estructura de la obra literaria*, Santiago de Chile, 1960.

Jean Hankiss, *Défense et illustration de la Littérature* (Paris, 1936).

Charles Du Bos, *Qu'est-ce que la littérature?* (Paris, 1945).

C. El estudio cultural

1. Historia

Literary Criticism and Historical Understanding. Edited by Phillip Damon, New York, 1967.

Gustave Lanson, *Méthodes de l'Histoire littéraire* (Paris, 1925).

Leo Ullrich, «El problema de la historia literaria» (en *Estudios filológicos sobre letras venezolanas*, Caracas, 1942).

Philippe Van Tieghem, *Tendances nouvelles en Histoire Littéraire* (Paris, 1930).

Paul Hazard, «Tendances actuelles de l'Histoire littéraire», (en *Les Mois*, Paris, 1935).

Walter Binni, *Poetica, critica e storia letteraria*, Bari, 1963.

2. Sociología

En la línea alemana de la sociología de la cultura, la de Dilthey, la de Max Weber, publicó Levin L. Schücking su *Der soziologie der Literarischen Geschmacksbildung*, 1931 (Traducción: *El gusto literario*, México, 1950) en la que analiza el gusto y el llamado «espíritu de una época»; el «humus» sociológico de donde brota la literatura; el desplazamiento de la posición sociológica del artista; la relación cambiante entre la literatura y el público; la formación de grupos, escuelas y nuevas tendencias; los medios de selección y el papel de la crítica; la aceptación pública.

Otros libros de sociólogos: Francisco Ayala, *El escritor en la sociedad de masas* (México, 1956); Roger Caillois, *Sociología de la novela* (Buenos Aires, 1942) y *Babel. Orgueil, confusion et ruine de la Littérature* (quinta edición, París, 1948). Habría que agregar las reflexiones sociológicas de Jean-Paul

Sartre, *¿Qué es la Literatura?* (Buenos Aires, 1951).

Véase también:

Lucien Goldmann, *Pour une sociologie du roman*, Paris, 1964.

Albert Guérard, *Literature and society* (Boston, 1935).

Ernst Kohn-Bramstedt, «The sociological approach to Literature» y «The place of the writer in German Society» (en *Aristocracy and the middle-classes in Germany. Social types in German Literature:* 1830-1900, London, 1935).

Milton C. Albrecht, «The relationship of literature and society» (en *American Journal of Sociology*, 1954, n.º 59).

3. Lingüística

Charles Bruneau, en el apéndice a la edición de 1950 de *La langue des ecrivains* de Ch. Guerlin de Guer, ofrece una lista de los escritores cuya lengua ha sido objeto de estudio. Aquí aludimos a las investigaciones de la lengua, no del estilo. Véase el deslinde entre la bibliografía lingüística y la estilística en Helmut Hatzfeld, *Bibliografía crítica de la nueva estilística aplicada a las literaturas románicas* (Madrid, 1955). Véase, asimismo, Giacomo Devoto, *Studi di Stilistica* (Firenze, 1950); M. Leroy, *Les grands courants de la linguistique moderne*, Paris, 1963; Stephen Ullmann, *Language and Style*, Oxford, 1964.

4. Pedagogía

Un método, el de la «explicación de los textos», tiene ya abundante bibliografía (v. gr.: P. Barre, *L'Explication française et le commentaire de textes* (Paris, 1954).

Pedro Henríquez Ureña, «Aspectos de la enseñanza literaria en la escuela común», *Obra crítica*. México, 1960.

Raúl H. Castagnino, *El análisis literario*, reedición aumentada, Buenos Aires, 1961.

5. Erudición

Andre Morize, *Problems and methods of literary history*, (Boston, 1920).

Gustave Rudler, *Les techniques de la critique et de l'histoire littéraire en littérature française moderne* (Oxford, 1923).

Hardin Craig, *Literary study and the scholarly profession*, 1944.

D. *El estudio crítico*

Carmelo M. Bonet, *Apuntaciones sobre el arte de juzgar. Lecciones sobre crítica literaria*, Buenos Aires, 1936.
Gaëtan Picon, *Introduction a une esthétique de la Littérature. I. L'Ecrivain et son ombre* (Paris, 1953).

II. GENERALIDADES SOBRE LA CRÍTICA

Mario Fubini, *Critica e Poesia*, Bari, 1956.
Donald A. Stauffer, Edmund Wilson, Norman Foerster, John Crowe Ransom, W. H. Auden, *The intent of the critic* (Princeton, 1941).
Albert Thibaudet, *Physiologie de la critique* (Paris, 1930).
Allen Tate, «Is literary criticism possible?» (en *Partisan Review*, 1952, n.° 19).
Eliseo Vivas, *Creation and discovery* (New York, 1955).
Alceu Amoroso Lima, *O crítico literário* (Rio de Janeiro, 1945).
B. Busacca, *On the limits of Criticism* (Wisconsin, 1952).
Harold Osborne, *Aesthetics and Criticism* (New York, 1955).
Situation de la Critique. Actes du premier colloque international de la critique littéraire. Paris, 1964.

III. MODOS DE ESTUDIAR LA CRÍTICA

A. *La crítica sobre los críticos*

En todas las literaturas hay estudios así. A veces se estudia un crítico solo, como John C. Davies, *L'oeuvre critique d'Albert Thibaudet* (Genève, 1955); a veces una galería de ellos, como en Stanley Edgar Hyman, *The armed vision. A study in the methods of modern literary criticism* (New York, 1948); a veces los críticos de un solo país, como en los siguientes trabajos:
Emilia de Zuleta, *Historia de la crítica española contemporánea*, Madrid, 1966.
Storia della critica (opera diretta da Walter Binni), Firenze, 1962.
Roger Fayolle, *La critique*, Paris, 1964.
John Paul Pritchard, *Criticism in America* (1956).
Luigi Russo, *La critica letteraria contemporanea* (3 vols., 1942-43).

B. *La historia de la crítica*

Después de la vieja pero todavía útil obra de George Saintsbury, *History of Criticism and Literary taste in Europe* (3 vols., 1900-1904), han aparecido otras, cada vez más completas. Tendremos una excelente bibliografía cuando se acabe de publicar la monumental obra de René Wellek, *A history of modern criticism: 1750-1950*, de la que ya han aparecido los cuatro primeros tomos (Yale University Press: Tomo I, «The later eighteenth century», 1952; tomo II, «The Romantic Age», 1955; tomo III, «The Age of Transition», 1965; tomo IV, «The Later Nineteenth Century», 1965).

Véase también a:

William K. Wimsatt y Cleanth Brooks, *Literary criticism. A short history* (New York, Alfred A. Knopf, 1957, p. 755).

Vernon Hall, *A short History of Literary Criticism*, New York, 1963.

C. *Las filosofías de la crítica*

Para la filosofía realista: George Lukács, *Studies in European Realism. A sociological survey of the writings of Balzac, Stendhal, Zola, Tolstoy, Gorki and others* (London, 1950).

Para la filosofía idealista: Benedetto Croce. «La critica litteraria» (en *Primi Saggi*, segunda edición, 1927).

Para la filosofía existencial: Théophile Spoerri, «Éléments d'une critique constructive» (en *Trivium*, Zurich, 1950, VIII).

Véase también: John Casey, *The language of Criticism*, London, 1966.

D. *Los géneros de la crítica*

Helmut Hatzfeld, *Literature through Art. A new approach to French Literature* (New York, 1952).

Fernand Baldensperger y Werner P. Friederich, *Bibliography of comparative literature* (Chapel Hill, 1950).

Antonio Porta, *La letteratura comparata nella storia e nella critica* (Milano, 1951).

Raimundo Lida, «Períodos y generaciones en la historia literaria», *Letras Hispánicas*, México, 1958.

Paul Collomp, *La critique des textes* (Paris, 1931).

Irvin Ehrenpreis, *The «types» approach to Literature* (New York, 1945).

Julián Marías, *El método histórico de las generaciones* (Madrid, 1949).

James J. Donohue, *The theory of literary kinds* (2 vols., Iowa, 1943-1949).

Robert Champigny, *Le genre romanesque* (1963), ... *poétique* (1964), ... *dramatique* (1965).

La *Commision internationale d'histoire littéraire moderne* ha realizado varios congresos para estudiar especialmente estas clases de crítica: «Les méthodes de l'histoire littéraire» (Budapest, 1931); «Les périodes de la littérature moderne» (Amsterdam, 1935); «Les genres litteraires» (Lyon, 1939). Esa Comisión publicó, bajo la dirección de Jean Hankiss, *Helicon. Revue internationale des problemes generaux de la litterature* (1838-1944).

E. *La metodología de la crítica*

David Daiches, *Critical approaches to Literature* (New Jersey, 1956).

James Craig La Drière, *Directions in contemporary criticism and literary scholarship*, 1955.

René Wellek, *Concepts of Criticism*, Yale University Press, 1963.

IV. CLASIFICACIÓN DE LOS MÉTODOS DE LA CRÍTICA

En las obras ya mencionadas pueden encontrarse las caracterizaciones de estos métodos. Aquí solo daremos la bibliografía especializada de unos pocos métodos.

A. *La actividad creadora*

1. Método histórico

Harold Cherniss, *The biographical fashion in literary criticism* (University of California, Publications in Classical Philology, 1933-1944, XII).

Victor Erlich, «Limits of the biographical approach» (en *Comparative Literature*, Oregon, 1954, 6, 130-317).

Mario Apollono, *Critica ed esegesi* (Firenze, 1947).

2. Método sociológico

György Lukács, *Il marxismo e la critica letteraria* (Torino, 1953).

George Lukács, *Studies in European realism. A sociological survey of the writings of Balzac, Stendhal, Zola, Tolstoy, Gorki and others* (London, 1950).

Jozsef Rèvai, *Lukács and Socialist Realism. A hungarian literary controversy* (London, 1950).

3. Método psicológico

Ernst Kris, *Psychoanalitic explorations in art.* [Part. ĪV: Problems of literary criticism] (New York, 1952).

Karl Gustav Jung, «Psychology and Literature» (en *The creative-process,* edited by Brewster Ghiselin, University of California, 1952).

Eduard Spranger, *Lebensformen* (Traducción: *Formas de vida,* Madrid, 1945).

Roy Prentice Basler, *Sex Symbolism, and Psychology* (New Brunswick, 1948).

Herbert Read, «The nature of criticism» (en *The nature of Literature,* New York, 1956).

Frederick J. Hoffman, *Freudianism and the literary mind* (Baton Rouge, 1945); «Psychoanalysis and literary criticism» (*American Quarterly,* Summer, 1950, II).

Kenneth Burke, «Freud and the analysis of Poetry» (*The Philosophy of literary form,* New York, 1941).

F. J. Billeskov Jansen, *Poetik* (Traducción: *Esthétique de l'oeuvre d'art littéraire,* Copenhague, 1948).

Charles Mauron, *Psychocritique du genre comique,* Paris, 1964.

B. *La obra creada*

1. Método temático

Kenneth Burke, *A Grammar of Motives,* New York, 1945.

Stith Thompson, *Motif-Index of Folk-Literature,* Bloomington, Indiana, 1932-36.

Helmut Hatzfeld, «El motivo estilístico», cap. VIII de *Bibliografía Crítica de la nueva estilística,* Madrid, 1955.

Métodos de crítica literaria

Wolfang Kayser, «Conceptos elementales del contenido», primera parte, cap. II, de *Interpretación y Análisis de la obra literaria*, Madrid, 1958.

Jean-Paul Weber, *Domaines thématiques*, Paris, 1963.

2. Método formalista

Victor Erlich, *Russian Formalism. History. Doctrine* (The Hague, the Netherlands, 1955).

Alfredo Panzini-Augusto Vicinelli, *La parola e la vita. Dalla grammatica all'analisi stilistica e letteraria* (Milano, 1948).

P. Barre, *L'Explication francaise et le commentaire de textes* (Paris, 1954).

John Crowe Ransom, *The New Criticism* (1941).

Robert Salmon, «El problema central de la crítica literaria» (en *Anales del Instituto de Lingüística*, Mendoza: Universidad Nacional de Cuyo, 1942, tomo I).

E. Geranti, «Statistica letteraria» (en *Genus*, 1950-1952, IX).

Cleanth Brooks, «My credo: the formalist critic» (en *Kenyon Review*, 1951, XIII).

Leonhard Beriger, *Die Literarische Wertung. Ein Spektrum der Kritik* (Halle, 1938).

Roman Ingarden, *Das Literarische Kunstwerk. Eine Untersuchung aus dem grenzgebiet der Ontologie, Logik und Literaturwissenschaft* (Halle, 1931).

Murray Krieger, *The new apologists for Poetry* (Minneapolis, 1956).

W. K. Wimsatt, *The verbal Icon. Studies in the meaning of Poetry* (Kentucky, 1954).

Laurent Le Sage, *The French New Criticism*, Pennsylvania State University Press, 1967.

3. Método estilístico

Helmut Hatzfeld, *Bibliografía crítica de la nueva estilística aplicada a las literaturas románicas* (Madrid, 1955); «Stylistic criticism as Art-minded Philology» (en *Yale French Studies, Spring-Summer*, 1949, II).

Para una bibliografía de Leo Spitzer véase: René Wellek, «Leo Spitzer (1887-1960). A selected Bibliography of L.S.». *Comparative Literature*, University of Oregon, XII (1960) «Addenda to Spitzer Bibliography», ibid., XIII (1961). Traba-

jos de Spitzer donde expone su método y ofrece datos auto-
biográficos: *Lingüística e Historia Literaria*, Madrid, 1955;
«Les Théories de la Stylistique», *Français Moderne*, 20 (1952);
«La mia stilistica», *Cultura Moderna*, 17 (1954); «Risposta a
una critica», *Convivium*, XXV (1957); *Critica stilistica e
semantica historica*, Bari, 1966; y especialmente «Lo sviluppo
di un metodo», *Cultura Neolatina*, XX (1960).

Amado Alonso, «Carta a Alfonso Reyes sobre la Estilística»
y «La interpretación estilística de los textos literarios» (en
Materia y forma en poesía, Madrid, 1955). Consideraciones sobre la Estilística son frecuentes en muchos de sus otros trabajos. Véase «Bibliografía de Amado Alonso» (en *Nueva Revista de Filología Hispánica*. Homenaje a Amado Alonso, tomo I,
México, enero-junio de 1953, año VII, n.° 1-2).

Pierre Guiraud, *La stylistique*, Paris, 1954.

Benvenuto Terracini, *Analisi stilistica. Teoria, storia, problemi*, Milano, 1966.

C. *La re-creación del lector*

I. A. Richards, *Practical criticism* (1929).
Arthur Nisin, *La littérature et le lecteur*, Buenos Aires.

V. LA CRÍTICA INTEGRAL

Además de sus numerosos trabajos de crítica literaria Benedetto Croce ha contribuido en varias ocasiones con teorías
de la crítica. Basta mencionar el capítulo III de *La Poesia*
(edición aumentada, 1946).

Para el pensamiento de Croce véase *Cinquant'anni di vita
intelletuale italiana. 1896-1946. Scritti in onore di Benedetto
Croce per il suo ottantesimo anniversario*, 2 vols. (Napoli,
1950); especialmente «L'Estetica di B. Croce» en «Gli studi di
Estetica» por Adelchi Attisani, vol. I, pp. 289-299). Tulio De
Mauro, «La letteratura critica piu recente sull'estetica e la
linguistica crociana», *De homine*, 11-12 (1964).

ÍNDICE ONOMÁSTICO

Poe, E. A., 154
Pollock, T. C., 78, 171
Polti, G., 132
Pope, A., 44, 63
Porta, A., 175
Poulet, G., 115
Pritchard, J. P., 174
Proust, M., 44, 45, 48, 76, 77, 108, 111

Quiller-Couch, A. T., 76
Quintiliano, 61

Rabelais, F., 108
Ransom, J. C., 126, 174, 178
Raymond, M., 93, 115
Read, H., 81, 109, 177
Révai, J., 98, 177
Reyes, A., 80, 171
Ricardou, A., 43
Richards, I. A., 46, 102, 146, 147, 179
Rickert, E., 130
Rilke, R. M., 44
Rimbaud, A., 43
Rosenfeld, A., 172
Rousseau, J. J., 68, 157
Rousset, J., 126
Rudler, G., 173
Ruskin, J., 45
Russo, L., 174

Sainte-Beuve, Ch., 45, 59, 65, 101
Saintsbury, G., 175
Salazar, A., 22
Salinas, P., 111, 124
Salmón, R., 178
Santayana, G., 25, 75, 76

Sarnetzki, D. H., 171
Sartre, J. P., 25, 87, 173
Saussure, F. de, 136
Scaligero, J. C., 63
Scott, W., 23
Scheler, M., 50, 100
Schiller, F., 44
Schlegel, A. y F., 65
Schücking, L. L., 99, 100, 172
Schultz, F., 171
Shakespeare, W., 48, 63, 106, 112
Shelley, P. B., 24
Shklovski, V., 125
Sholokov, M., 97
Shumaker, W., 80, 115
Sidney, Ph., 63
Simon, P-H., 87
Simmel, G., 100
Sinclair, Upton, 97
Sócrates, 42, 43
Sófocles, 48, 107
Souday, P., 158
Souriau, E., 132
Souza, R. de, 113
Spitzer, L., 41, 59, 93, 107, 129, 130, 139-42, 143, 178-79.
Spoerri, Th., 40, 71, 72, 79, 175
Spranger, E., 177
Staël, Mme. de, 65
Starobinski, J., 126
Stauffer, D. A., 174
Stendhal, 41, 175
Stevenson, R. L., 76
Strich, F., 171
Swift, J., 24
Swinburne, A. Ch., 103